Studio 3

ROUGE

www.pearsonschools.co.uk
✓ Free online support
✓ Useful weblinks
✓ 24 hour online ordering

0845 630 33 33

Clive Bell and Anneli McLachlan

Heinemann

Part of Pearson

Heinemann is an imprint of Pearson Education Limited, Edinburgh Gate, Harlow, Essex, CM20 2JE.

www.pearsonschoolsandfecolleges.co.uk

Heinemann is a registered trademark of Pearson Education Limited

Text © Pearson Education Limited 2012

Edited by Melanie Birdsall
Designed by Emily Hunter-Higgins
Typeset by Kamae Design
Original illustrations © Pearson Education Limited 2012
Illustrated by KJA Artists (Caron) and Paul Hunter-Higgins
Cover design by Emily Hunter-Higgins
Picture research by Susie Prescott

Front cover and audio CD cover photos: Main picture: Studio Natacha Nicaise / Natacha Nicaise; Mountain: Shutterstock / M.M.G.; Eurostar: Getty Images / Workbook Stock; Kids in backpacks: iStockPhoto.com / Skip O'Donnell; Skateboarder: Getty Images / PhotoDisc; Kayaker: Getty Images / PhotoDisc; Parkour: Corbis / Cardinal; Eiffel Tower: Shutterstock / Ints Vikmanis; Girls dancing: Shutterstock / @erics; La Défense square arch: Shutterstock / Alexander Mul

Audio recorded by Footstep Productions Ltd (Colette Thomson and Andy Garratt; voice artists: Arthur Boulanger, Lise Bourgeois, Felix Callens, Juliet Dante, Antonia Karoly, Mathew Robathan, Tunga-Jerome Şen, Charlotte Six).

The rights of Clive Bell and Anneli McLachlan to be identified as authors of this work have been asserted by them in accordance with the Copyright, Designs and Patents Act 1988.

First published 2012

16 15 14 13
10 9 8 7 6 5 4 3

British Library Cataloguing in Publication Data
A catalogue record for this book is available from the British Library

ISBN 978 0 435 02694 3

Printed in Malaysia, CTP-PJB

Acknowledgements
The authors and publisher would like to thank the following people for their invaluable help in the development of this course: Melanie Birdsall; Anne-Sophie Blanc; Florence Bonneau; Sylvie Fauvel; Stuart Glover; Rosie Green; Fabienne Tartarin; Sabine Tartarin; Catriona Watson-Brown.

The authors and publisher would like to thank the following individuals and organisations for permission to reproduce copyright material in this book:

©2011 Inside Network, Inc p.6; Michel Bouvet p.20; planetoscope www.planetoscope.com p.34; www.doctissimo.fr pp.34,44; European Union p.52; France Soir p.52; © Parc Astérix p.52; Domaine des Ormes/La Cabane en l'Air p.74; www.lebonheurdevivre.net (Le Village Amérindien) p.74; Gino Maccarinelli (Villa Cheminée) p.74; Cédric Chassé (Villa Hamster) p.74; Hachette vacances © Hachette Livre p.74 ; Office de Tourisme de Jonzac p. 84; www.tasante.com p.98; Le Soleil, Daphnée Dion-Viens p.98; CSA p.98; Courtoisie d'Enfants Entraide p.110; Socialbakers.com © Candytech Ltd p.118; ass bretagne outdoor p.127

The publisher would like to thank the following for their kind permission to reproduce their photographs:

(Key: b-bottom; c-centre; l-left; r-right; t-top)

Alamy Images: 1 Apix 56/c, Bailey Cooper Photography 2 82c, Chloe Parker 99br, Cultura Creative 106/B, icpix_can 20/B, Ilene Macdonald 95, INSADCO Photography 125bl, John Terence 76l, Michelle Gilders 52cr (c), Peter Treanor 127tr, Photos 12 13t, Radius Images 66l, Robert Freid 88; **ass bretagne outdoor:** 127/1, 127/2; **Cédric Chassé:** Cedric Chasse 74; **Corbis:** Gideon Mendell 21tl, Gonzalo Fuentes / Reuters 7cr, Jim Craigmyle 8c, John Van Hasselt / Sygma 111, Spirit 14/4, Steve Prezant 14/6; **Courtoisie d'Enfants Entraide:** 110, 110/1, 110/3; **Domaine des Ormes:** La Cabane en l'Air 74/1; **Fotolia.com:** A4StockPhotos 36/e, Alesso Cola 36/c, Arquiplay77 78/D, 81b, Avava 56/b, drx 12/3, 16cl, E-Pyton 54/e, ED Pictures 36/a, Erwinf 78/E, Frantisek Hojdysz 78/B, HL Photo 31c, Iryna Shpulak 53tr, Jjava 46cr, Joggie Botma 78/A, Lisa F Young 106/E, martinlee 31 br, Michealjung 53bl, Monkey Business Images 54bl, Nbina 82r, Piotr Marcinski 98bl, Silverpics 46cl, Viktor 36/i, Vladimir Wrangel 78/C, 81t; **Getty Images:** Adam Gault / Digital Vision 45br, Adrian Dennis / AFP 33b/b, Angero / Stockimage 76t, Antonio De Moraes Barros Filho / Wireimage 53cr, Antonio Mo / Photodisc 12/2, Chris Jackson 33b/a, Colorblind images / Iconica 106/C, DAJ / Amana Images 34tr, Dave Hogan 10bc, Eisling / Photodisc 31cr, Frazer Harrison 10cr, Hill Street Studios / Blend Images 19cr, Image Source 6b, 56/a, Jaimie McDonald 121tl, Jeremy Woodhouse / Blend images 76c, John E Kelly 36/d, John Eder / The Image bank 12/1, Jupiter Images / Comstock 109, Lisa Charles Watson 36/f, Matt Cardy 25, Medic Image / Universal Images Group 54/b, Michael Loccisano 10br, Mike Timo / Photographers Choice 52cl, MJ Kim 33c/b, Monty Rakusen / Cultura 63, Nico Kai / Iconica 46c, Pascal le Scretain 17c, Peter Cade / Iconica 14/2, Phiip Lee Harvey / Taxi 98tr, Phil Cole 33b/c, Philippe Desmazes / AFP 75tr, Picavet / Workbook Stock 53br, Rubberball Productions / Agency Collection 14/1, Steve Granitz / Wireimage 33c/d, Stockbyte 12/6, 54/a, Sylvain Grandadam 20/A, Ty Allison / Taxi 35bl, Ulrik Tofte / Riser 12/4, WPA Pool 33c/a; **Michel Bouvet:** 20/1; **Parc Astérix:** Sylvain Cambon 2009 52; **Pearson Education Ltd:** Handan Erek 30tr, 31tr, 53tl, 56/d; **Pearson Education Ltd:** Jules Selmes 12/5, 54/g, 106/D, shoot 6c; **Pearson Education Ltd:** Handan Erek 10t, 32tl, 32tr, 36/g, 36/h, 41tr, 46tc, 46tr, 60l, 60r, 61, 75cl, 80/1, 80/2, 80/3, 98cr, 104/2, 104/3, 104/4; **Peter Allan:** 76r; **Press Association Images:** Jacques Brinon 7cl, Moreau Lionel / ABACA 7b; **Reuters:** Ali Jarekji 20/C, Andrea Comas 121br, Claro Cortes 121c, Desmond Boylan 121tr, Hannibal Hanschke 121bl; **Shutterstock.com:** Ampyang 8l, Andrejs Pidjass 82l, Arest 106/A, Ariel Bravy 30br, Arieliona 59r, Aron Amat 36/b, Bekas 67, Blend Images 62, 103t, 119l, Brad Wynnyk 120l, Buida Nikta Yourievich 120r, Cemark 14/3, Cinemafestival 10c, Dfree 33b/e, Dinga 54 /c, Edyta Pawlowska 39t, Eduard Titov CUT, Elena Elisseeva 100tr, 122c, EpicStockMedia 30cl, Eshar 57r, Evgenia Bolyukh 112, Evgeny Karandaev 36/j, Fafoutis 31bl, Galina Barskaya 43cr, Golden Pixels LLC 123tl, Goodluz 104/1, 105b, Gratien Jonxis 125 tl, Helge Esteb 10cl, 23, 33c/c, 33c/e, Holger W 87, 91, Iofoto 37tl, 107b, Ipatov 66r, Jaimie Duplass 16tr, Jamie Duplass 89, Janice k 59l, JanJar 33t, Jess Yu 104/5, JinYoung Lee 105t, Joe Seer 10bl, Jose Gil 107t, Lars Lindblad 54/d, Leah- Anne Thompson 57l, Lev Dolgachov 8r, Liliya Kulianionak 103c, Littleny 100bl, Maslov Dmitry 103b, michaeljung 59c, Money Business Images 6t, Monkey Business Images 14/5, 41tl, 100tl, 100br, Oliveromg 41br, OLJ Studio 122tr, Paulo Oliveira 40r, Pedro Miguel Sousa 54/f, Pedro Vidal 119r, Peter Gudella 99t, PHB.cz / Richard Semik 85l, photobank.ch 58, Pink Candy 44tr (b), Piotr Marcinski 71, PJ Cross 37tr, Poleze 7t, Robert Kneschke 99bl, Stephen Coburn 52tr, Suzanne Tucker CUT, Tungphoto 85r, Tyler Olsen 39b, 54/h, Valery Bareta 92, VIPFlash 33b/d, William Casey 40l, Zurijeta 122tl; **Villa Cheminée:** 74/3; **www.imagesource.com:** 123br; **www.lebonheurdevivre.net:** 74/2

All other images © Pearson Education Limited

Every effort has been made to contact copyright holders of material reproduced in this book. Any omissions will be rectified in subsequent printings if notice is given to the publishers.

Websites
Pearson Education Limited is not responsible for the content of any external internet sites. It is essential for tutors to preview each website before using it in class so as to ensure that the URL is still accurate, relevant and appropriate. We suggest that tutors bookmark useful websites and consider enabling students to access them through the school/college intranet.

Tableau des contenus

Module 1 — Ma vie sociale d'ado — 6

Module 2 — Bien dans sa peau — 30

Module 3 À l'horizon 52

Module 4 Spécial vacances 74

Module 1 Ma vie sociale d'ado

Social networking sites are just as popular in France as they are in the UK. Three of the most popular sites are Facebook, Twitter and *Copains d'avant* (a French website similar to Friends Reunited). There are 15,498,220 Facebook users in France and this is growing every day.

Figures correct Feb. 2011. Source: www.insidefacebook.com

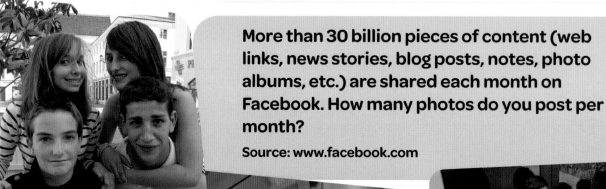

More than 30 billion pieces of content (web links, news stories, blog posts, notes, photo albums, etc.) are shared each month on Facebook. How many photos do you post per month?

Source: www.facebook.com

According to a recent survey, French girls say the most important qualities they look for in a boy are:

- kindness (42%)
- good looks (37%)
- sense of humour (16%)
- intelligence (3%).

What qualities do you look for in a girl or boy?

French text messaging is a language all of its own! Can you work out what the following text phrases mean? Here's a clue: some words are abbreviations. With the others, try saying the letters out loud (using French alphabet sounds, of course!). The answers are at the bottom of the page.

| bjr | mr6 | keske C? | dak | JtM | c 5pa |

La Fête de la Musique is a worldwide celebration of all types of music. It started in France in 1982 and has spread to more than 100 countries. It takes place on 21st June, which is the day with the most hours of daylight in western Europe – so the music can go on for as long as possible!

Les Vieilles Charrues is one of the biggest music festivals in France. It takes place every summer in Brittany. Its name means 'the old ploughs'. It attracts some of the biggest music stars in the business and is attended by over 230,000 music fans.

bjr = bonjour   mr6 = merci   keske C? = qu'est-ce que c'est?   dak = d'accord   JtM = je t'aime   c 5pa = c'est sympa

Planète Facebook

Talking about Facebook

Using present tense verbs

Écoute et lis.

J'adore Facebook! Je vais tous les jours sur ma page perso. Je lis mes messages et je poste des messages sur le mur de mes copains. De temps en temps, je modifie aussi mes préférences.

Mina

Je passe des heures sur Facebook. Je regarde et je commente les photos de mes amis. C'est marrant de faire ça! Quelquefois, je fais aussi des quiz ou je joue à des jeux. J'ai plein d'amis sur Facebook.

Antoine

Je retrouve toutes mes copines sur Facebook. On partage des photos et on s'envoie des liens vers des vidéos. J'invite aussi mes copines chez moi ou on organise des sorties. Facebook, c'est indispensable à ma vie sociale!

Léa

Relis le texte. Qui dit ça?

Exemple: **1** Antoine

| plein de (slang) | loads of |
| on organise des sorties | we organise going out |

1 I do quizzes or play games.

2 I spend hours on Facebook.

3 We send each other video links.

4 I read my messages.

5 I go onto my home page.

6 I also invite my friends round.

7 I update my likes.

8 I post messages on my friends' walls.

9 We share photos.

10 I look at and comment on my friends' photos.

*Look for key words and cognates (**page perso**, **quiz**, **vidéos**). But be careful! Some words (e.g. **photos**, **messages**) occur twice. Read the whole sentence to make sure you choose the right person.*

Studio Grammaire

» Page 26

In the present tense, regular **–er** verbs take the following endings:

*pass**er*** (to spend time)

je pass**e**	nous pass**ons**
tu pass**es**	vous pass**ez**
il/elle/on pass**e**	ils/elles pass**ent**

The verbs *avoir* (to have), *être* (to be), *faire* (to do/make) and *lire* (to read) are irregular. Check their present tense endings in the Verb tables (pp. 128–130).

How many regular and irregular verbs can you find in exercise 1?

Écris les phrases de l'exercice 2 en français.

Exemple: **1** Je fais des quiz ou je joue à des jeux.

Écoute. Note les activités et la fréquence. (1–4)

Exemple: Théo: reads and posts messages – every day

| Théo | Julie | Yusuf | Manon |

de temps en temps – from time to time	*tous les weekends* – every weekend
quelquefois – sometimes	*tout le temps* – all the time
souvent – often	*une fois/deux fois …* – once/twice …
tous les jours – every day	*… par jour/semaine/mois* – … a day/week/month

En tandem. Fais un dialogue. Utilise les renseignements A ou B.

Exemple:

● *T'es sur Facebook?*

■ *Oui, bien sûr!*

● *Qu'est-ce que tu fais sur Facebook?*

■ *Tous les jours, je …*

A

every day:	go onto home page
all the time:	read and post messages
once a week:	share photos
now and then:	do quizzes

B

every weekend:	invite my friends
sometimes:	send video links
often:	leave comments on photos
once a month:	update likes

Lis le texte. Note vrai (V) ou faux (F).

Je veux Facebook!

Nos lecteurs répondent …

Je veux être sur Facebook, mais ma mère refuse. Elle dit que c'est dangereux et que j'ai trop de devoirs cette année. Qu'est-ce que je peux faire?
Nicolas, 13 ans

La réalité est plus importante que Facebook! Tu peux parler avec tes amis sur ton portable. Encore mieux: tu peux retrouver tes amis en ville et leur parler en personne!
Vincent, 15 ans

Ta mère a raison. Sur Facebook, on peut voir tes renseignements personnels: âge, lieu d'habitation, etc. C'est dangereux, ça!
Leïla, 14 ans

Tu peux limiter le temps que tu passes sur Facebook. Par exemple, une heure de devoirs et ensuite, une demi-heure sur Facebook.
Karim, 14 ans

Explique à ta mère que tous tes copains sont sur Facebook et que c'est indispensable à ta vie sociale.
Émilie, 13 ans

1 Nicolas est sur Facebook.
2 La mère de Nicolas n'aime pas Facebook.
3 Leïla est d'accord avec la mère de Nicolas.
4 La solution de Karim est: une heure de devoirs et vingt minutes sur Facebook.
5 Émilie dit que Nicolas doit accepter la décision de sa mère.
6 Vincent pense que Facebook n'est pas important.

dit que …	*says that …*
je veux/tu veux/ on veut	*I want/you want/ we want*
je peux/tu peux/ on peut	*I can/you can/ we can*

Écris un court exposé avec comme sujet «Facebook et moi».

• Use the texts in exercise 1 as a model.
• Say what you do on Facebook.
• Include expressions of frequency.

• Use *on* as well as *je*.
• Borrow interesting phrases from exercise 1 (e.g. *J'ai plein d'amis sur Facebook.*).

- Giving your opinion about someone
- Using direct object pronouns

1 Écoute et note les adjectifs dans le bon ordre. (1–12)

Exemple: **1** l

> Comment tu trouves Romain?

> Je **le** trouve ...

> Comment tu trouves Ophélie?

> Je **la** trouve ...

a	arrogant	**e**	égoïste	**i**	jolie
b	beau	**f**	généreuse	**j**	lunatique
c	charmant	**g**	gentille	**k**	pénible
d	drôle	**h**	jalouse	**l**	timide

> **!** Literally, **je le/la/les trouve ...** means 'I find him/her/them ...'. But in English, we would say 'I think he/she is .../they are ...'. Use it as an alternative to **je pense qu'il est/elle est ...** (etc.) to raise your level.

2 Réécris les phrases suivantes, en utilisant *le, la* ou *les*.

Exemple: **1** Je le trouve drôle.

1 Je pense que Mohammed est drôle.
2 Je pense que Claire est jalouse.
3 Je pense que Théo et Hugo sont beaux.
4 Je pense que Chloé et Justine sont gentilles.
5 Je pense que ton frère est pénible.
6 Je pense que tes parents sont généreux.

> ### Studio Grammaire ≫ Page 26
> A direct object pronoun replaces a noun which is the object of the sentence. In French, direct object pronouns go **in front of the verb**.
> *Comment tu trouves Frank?*
> Je **le** trouve gentil.
> *Comment tu trouves Emma?*
> Je **la** trouve jolie.
> *Comment tu trouves Thomas et Julie?*
> Je **les** trouve pénibles.

3 En tandem. Comment tu trouves les célébrités? Utilise les photos ou tes propres idées.

Exemple:

● *Comment tu trouves Angelina Jolie?*

■ *Je **la** trouve belle et généreuse. Et toi? Comment tu **la** trouves?*

● *Moi aussi, je **la** trouve ...*
*Je ne suis pas d'accord. Je **la** trouve ...*

> ### Studio Grammaire
> Most adjectives have different masculine, feminine and plural forms. The two most common patterns are:
>
> | singular | | plural | |
> |---|---|---|---|
> | **masculine** | **feminine** | **masculine** | **feminine** |
> | charmant | charmant**e** | charmant**s** | charmant**es** |
> | généreux | génér**euse** | généreux | génér**euses** |
>
> Adjectives that end in –*e* in the masculine singular don't add another –*e*:
>
> Il est drôle. Elle est drôle.
> Ils sont drôles. Elles sont drôles.

Écoute et lis l'histoire.

Lundi...

Alors, Charlotte, tu aimes les mecs anglais?

Laura, regarde! Voilà les élèves de l'échange anglais qui arrivent!

Ah, oui, je les trouve adorables! J'adore leur accent!

Salut! Je suis Matthieu, ton partenaire d'échange.

Oh, hello! I mean, bonjour. Je m'appelle Jack.

Regarde le garçon avec le tee-shirt rouge. Comment tu le trouves?

Il a l'air sympa. Mais je préfère Matthieu. Je le trouve vraiment bien!

Hé, Jack! Regarde les deux filles là-bas. Comment tu trouves la blonde?

Pas mal. Mais je préfère sa copine. Je la trouve très jolie.

Mercredi...

Oh! Pardon!

Il est un peu timide, mais carrément charmant et poli!

Vendredi...

Voici mon numéro de portable. Envoie-moi un SMS.

Oh là là! D'accord, il est assez beau, mais je le trouve trop arrogant et lunatique.

l'échange	exchange
les mecs (slang)	guys
avoir l'air (sympa)	to look (nice)
bien	good-looking
carrément	completely

Relis l'histoire et choisis la bonne réponse.

1. Les élèves qui arrivent en car sont anglais/français.
2. Charlotte aime/n'aime pas les mecs anglais.
3. Laura trouve Matthieu pénible/beau.
4. Jack trouve Laura/Charlotte très jolie.
5. Laura pense que Jack est charmant et poli mais égoïste/timide.
6. Jack donne son numéro de téléphone/son adresse e-mail à Laura.
7. À la fin de l'histoire, Charlotte trouve Jack généreux/lunatique.

Quelle est ton opinion des quatre personnages? Écris ta réponse aux questions.

Exemple: **1** Charlotte: Je la trouve assez jolie, mais trop jalouse et un peu ...

Comment tu trouves ...?

1 Charlotte **2** Laura **3** Jack **4** Matthieu

Use these qualifiers with your adjectives:
très – very **trop** – too
assez – quite **carrément** – completely
un peu – a bit **vraiment** – really

À quatre. Écris un sketch. Utilise les renseignements suivants ou tes propres idées. Mémorise et joue le sketch!

Exemple: Hugo: Hé, Malik! Comment tu trouves Julie?
Malik: Je la trouve ..., mais je préfère ...

- The scene: A school in France
- The characters: Hugo and his friend Malik, Julie and her friend Chloé
- The story: Hugo fancies Julie, but Julie fancies Malik. Malik prefers Chloé. Chloé drops her mobile. Malik gives it back to her. Julie realises that Malik likes Chloé and decides to go out with Hugo.

3 Tu viens aussi?

1 Trouve le bon texte pour chaque photo. (1–6)

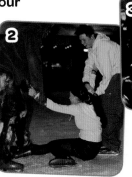

A Salut, Marc! Je vais aller à une fête d'anniversaire ce soir. C'est la fête de mon meilleur copain, Guillaume. Tu veux m'accompagner?

D T'es libre cet après-midi? Ma sœur Marie et moi voulons aller en ville. On va faire les magasins. Tu viens avec nous?

B Coucou, Antoine. Qu'est-ce que tu fais demain matin? Je vais aller à la patinoire. Tu viens avec moi?

E Ça va, Mohammed? T'es invité à sortir avec ma famille et moi dimanche. On va faire un piquenique dans le parc. Tu veux nous accompagner?

C Salut, c'est moi. Je vais aller au cinéma samedi soir. Il y a une nouvelle comédie avec Ben Stiller. Ça t'intéresse?

F Salut, Chloé. Qu'est-ce que tu fais demain soir? On va aller à un concert de rock et on a un billet de trop. Ça t'intéresse?

2 Écoute et vérifie. Note aussi si on accepte (✓) ou refuse (✗) l'invitation. (1–6)

🙂	🙁
Oui, merci. Je veux bien. D'accord, si tu veux. Génial! Bonne idée! Pourquoi pas?	Non, merci. Je n'ai pas trop envie. Tu rigoles! C'est vraiment nul! J'ai horreur de ça!

Studio Grammaire » Page 27

To say what you are going to do, you can use the near future tense. This is formed by using the correct part of the verb *aller* (to go), plus the infinitive of another verb.

je vais	aller
tu vas	faire
il/elle/on va	jouer
nous allons	manger
vous allez	voir
ils/elles vont	sortir

3 En tandem. Fais cinq mini-dialogues. Utilise les détails suivants.

Exemple:

● *Je vais aller au cinéma demain soir. Tu veux venir?*

■ *Ah oui, merci. Je veux bien.*

A demain soir? ✓   **B** samedi après-midi? ✗   **C** dimanche matin? ✓

D cet après-midi? ✗   **E** Invente un autre dialogue!

④ **Lis les informations sur Internet et réponds à la question en anglais.**

| À l'affiche | Séances | |

Arthur 3: La Guerre des Deux Mondes
Dessin animé (1h 40mn)

De Luc Besson
Avec Gérard Darmon, Mylène Farmer, Jean-Paul Rouve, Marc Lavoine

| mercredi 13 | jeudi 14 | vendredi 15 | samedi 16 | dimanche 17 | lundi 18 | mardi 19 |

| En VF: | 11h10 | 13h30 | 15h40 | 17h50 | 20h05 | 22h20 |

Which <u>two</u> pieces of information are <u>not</u> given in the text?

1 what sort of film it is
2 how long the film lasts
3 who is in the film
4 where the cinema is
5 on which days the film is showing
6 at what times the film is showing
7 how much the tickets cost

*The word **séances** is a 'false friend'. It means something completely different in French! Can you work out what?*

⑤ **Écoute et note les renseignements en anglais. (1–4)**

Exemple:

1

When: this evening
Type of film: ...
Time: ...
Meeting place & time: ...

un dessin animé – a cartoon
une comédie – a comedy
un film d'action – an action film
un film d'horreur – a horror film
un film de science-fiction – a sci-fi film
un film fantastique – a fantasy film
chez moi/toi – at my/your house
à plus – see you later
à demain – see you tomorrow
à samedi (etc.) – see you on Saturday (etc.)

⑥ **En tandem. Lis le dialogue à voix haute, puis change les mots soulignés.**

● *Allô, oui?*

▪ *Salut, c'est moi. Je vais aller au cinéma <u>cet</u> <u>après-midi</u>. Tu viens?*

● *Oui, je veux bien. On va voir quel film?*

▪ *<u>Arthur 3</u>. C'est <u>un dessin animé</u>. Ça va?*

● *Oui, c'est cool. Ça commence à quelle heure?*

▪ *Attends. Je vais regarder sur Internet. Il y a une séance à <u>trois heures quarante</u>.*

● *On se retrouve où et à quelle heure?*

▪ *Rendez-vous <u>chez moi</u> à <u>trois heures</u>. D'accord?*

● *D'accord. <u>À plus!</u>*

In French text messages:
- *é replaces **ai** and **ais***
- *k replaces **qu***
- *o replaces **au***
- *s replaces **ç***
- *Some groups of letters are replaced by numbers that sound similar (e.g. **6 = si**).*
- *Some common words such as **salut** and **d'accord** are shortened.*

⑦ **Lis et écris le SMS en français «correct».**

SLT jack sava?
keske tu fé ce soir?
je vé aller o 6né. tu v1?
rdv ché moi 7h dak?

Ça s'est bien passé?

- Describing a date
- Using the perfect tense

1 Fais correspondre les photos et les <u>deux</u> bonnes phrases. (1–6)

a Je suis allé à une fête avec Emma.

b J'ai fait une promenade avec Chloé.

c Je suis allé en ville avec Kali.

d J'ai joué au bowling avec Enzo.

e Je suis restée à la maison avec Max.

f J'ai mangé un hamburger avec Baptiste.

g On a aussi bu du coca.

h On a bavardé tout le temps.

i On a dansé ensemble.

j On a fait les magasins.

k On a bien rigolé.

l On a regardé un DVD.

2 Écoute et vérifie. (1–6)

3 En tandem. Jeu de mémoire. Qui peut faire la phrase la plus longue?

Exemple:

- J'ai mangé un hamburger avec (Alex/Marie/etc.).
- J'ai mangé un hamburger avec (Alex/Marie/etc.) et on a bu du coca.
- J'ai mangé un hamburger avec (Alex/Marie/etc.), on a bu du coca et puis je suis allé(e) en ville avec (Simon/Chloé/etc.).

Studio Grammaire

Page 27

Most verbs form the perfect tense with part of *avoir* + a past participle.

For regular *–er* verbs, take off *–er* and add *é*:
manger (to eat) → *j'ai mangé* (I ate/I have eaten)

boire (to drink), *faire* (to do/make), *lire* (to read), *prendre* (to take) and *voir* (to see) have irregular past participles.

A few important verbs take *être*, not *avoir*.

The past participle has to agree with the subject:
Elle est allée en ville.

j'ai	dansé/regardé	je suis	
tu as	bu	tu es	
il/elle/on a	fait	il/elle/on est	allé(e)(s)
nous avons	lu	nous sommes	resté(e)(s)
vous avez	pris	vous êtes	sorti(e)(s)
ils/elles ont	vu	ils/elles sont	

Écoute et complète le tableau. (1–4)

	où?	activité(s)	opinion
1	fête	bavardé, …	

C'était …	
😊	☹️
cool	affreux
génial	bizarre
intéressant	ennuyeux
marrant	horrible
romantique	nul
sympa	un désastre

> **Ça s'est passé comment?** How did it go?
> **Ça s'est bien passé?** Did it go well?

 En tandem. Complète le dialogue en utilisant tes propres idées.

● *Qu'est-ce que tu as fait … après-midi?*
■ *Je suis allé(e) … avec … On a …*
● *Qu'est-ce que vous avez fait après?*

■ *On a … et on a …*
● *Ça s'est passé comment?*
■ *C'était …!*

 Lis les textes et réponds aux questions en anglais.

Le weekend dernier, je suis allé au centre commercial avec Yasmine, mais elle a passé tout son temps à discuter sur son portable! Puis elle a rencontré deux de ses copines et elles ont bavardé pendant une heure. J'ai pris le bus et je suis rentré chez moi tout seul. C'était ennuyeux. **Medhi**

Samedi soir, je suis sorti avec Camille. On a vu une comédie au cinéma, mais ce n'était pas très marrant. Pendant le film, Camille a mangé un hamburger, ensuite deux glaces et puis un énorme paquet de popcorn! Après, elle s'est endormie. En plus, elle a ronflé! C'était horrible! **Rémi**

Dimanche après-midi, j'ai fait un piquenique dans le parc avec Marielle. Avant, je me suis lavé les cheveux et je me suis fait une crête avec du gel. Mais il a plu et j'ai perdu ma belle crête! On a bien rigolé. À la fin de l'après-midi, Marielle m'a embrassé! C'était trop top! **Nathan**

Who …
1 went on a picnic with his girlfriend?
2 had a date with someone who ignored him?
3 couldn't believe how much his girlfriend ate?
4 got fed up and went home alone?
5 had a hair disaster, due to the weather?
6 says his girlfriend fell asleep and snored?
7 got a kiss at the end of his date?

- Read quickly through the texts to get the gist. Ignore any words you don't know.
- Then read the questions and pick out any clue words in the texts.
- Identify a maximum of six words that you don't know <u>and that you need to understand to answer the questions.</u>
- Look these words up in the **Mini-dictionnaire**.

 En tandem. Jeu de conséquences. Complète une phrase à tour de rôle et en secret. Puis plie le papier.

Exemple: Samedi dernier, je suis allé à une fête avec Beyoncé. On a …

 Lis ton jeu de conséquences à voix haute. C'est rigolo?

Samedi dernier, je suis allé(e) …
avec …
On a …
D'abord, j'ai …
Ensuite, il/elle a …
Puis on a …
C'était …

○ *Describing a music event*
○ *Using three tenses*

Écoute et lis. Choisis le bon titre pour chaque paragraphe. (1–4)

1

Salut, je m'appelle Lucas. Ma passion, c'est la musique! J'écoute un peu de tout: du R&B, du hip-hop, du reggae et même du jazz quelquefois. Chaque semaine, je télécharge des chansons sur mon mp3, parce que j'adore écouter les nouveautés.

2

Tous les ans, le 21 juin, c'est la Fête de la Musique. Dans la ville où j'habite, il y a beaucoup de concerts gratuits où on peut écouter toutes sortes de musiques. C'est cool, ça! En général, je vais au concert en plein air avec mes copains.

3

L'année dernière, on est allés à un concert de «musiques du monde». On a vu un groupe de salsa de Cuba, un chanteur de reggae de Jamaïque et un duo pop-rock de Russie! L'ambiance était fantastique et on a dansé toute la soirée. C'était le top du top!

4

Demain soir, je vais aller au concert d'Abd Al Malik qui est un de mes chanteurs préférés. Je le trouve vraiment génial! Donc, la semaine prochaine, je vais acheter son nouvel album. Je suis méga-fan de sa musique parce que j'adore la rythmique et les paroles.

A	**B**	**C**	**D**
A world music concert	I'm his biggest fan!	The sort of music I like	Free music in my town!

Qu'est-ce que c'est en anglais? Devine et puis cherche dans le *Mini-dictionnaire*.

1 chaque semaine
2 les nouveautés
3 gratuit
4 en plein air
5 l'ambiance
6 toute la soirée
7 les paroles

Trouve les verbes dans le texte. Copie et complète le tableau.

présent	*passé*	*futur*
je m'appelle c'est	on est allés était	je vais aller

Look or listen for time expressions as well as tenses to spot whether someone is talking about the past, present or future, e.g.:

past	present	future
hier	*normalement*	*demain*

Écoute. On parle du présent (pr), du passé (pa) ou du futur (f)? (1–6)
Exemple: **1** pr

 **En tandem. Interviewe Lucas. Utilise les questions suivantes.
Tu dois répondre au présent, au passé ou au futur?**

● *Quelle sorte de musique aimes-tu?*
● *Normalement, qu'est-ce que tu fais pour la Fête de la Musique?*
● *Qu'est-ce que tu as fait l'année dernière?*

● *C'était comment?*
● *Qu'est-ce que tu vas faire demain?*
● *Pourquoi es-tu fan de sa musique?*

 Refais l'interview. Change les détails. Utilise tes propres idées.

Exemple:

● *Quelle sorte de musique aimes-tu?*
■ *En général, j'écoute du rock, mais j'aime aussi …*

 Écris un exposé au sujet d'un concert ou d'un festival de musique. Invente les détails si tu veux.

Include:

- when the concert or festival took place, where it was and who you went with
- what you did when you were there and what it was like
- what sort of music you normally listen to
- your favourite singer or group and why you like them
- something musical that you are going to do next weekend.

passé	présent	futur
Hier (après-midi/soir)/La semaine dernière/L'année dernière, … je suis allé(e) … avec … J'ai/On a écouté …/dansé …/chanté …/vu … Après, j'ai/on a mangé …/regardé …/ téléchargé … C'était/L'ambiance était super/ fantastique/cool.	Ma passion, c'est …/Je suis méga-fan de … En général/Normalement/Quelquefois/ Chaque semaine, … j'écoute/je télécharge … /j'aime aussi … Un(e) de mes groupes/chanteurs/ chanteuses préféré(e)s, c'est … parce que j'adore …/je le/la/les trouve …	Demain (matin/soir) … Samedi (après-midi) … La semaine prochaine, … je vais aller …/acheter …/regarder …/ télécharger … parce que j'aime …/je le/la/les trouve …

 Vérifie et corrige ton exposé.

Check:

- Spelling: Are any letters missing? Are groups of vowels in the right order?
- Accents: Are any missing? Do they point the right way?
- Gender: *le* or *la*? *un* or *une*? Are adjective endings correct?
- Verbs:
  - present tense: Are the verb endings correct?
  - perfect tense: Is the part of *avoir* or *être* correct? Is the past participle correct? Does the past participle of any *être* verbs need to agree?
  - near future tense: Is the part of *aller* correct? Is the infinitive ending correct?

Bilan

Unité 1

I can

- ● say what I do on Facebook: *Je vais sur ma page perso. Je lis mes messages.*
- ● use expressions of frequency: *tous les jours, quelquefois, de temps en temps*
- ☐ use present tense verbs: *Je poste des messages. Je fais des quiz.*

Unité 2

I can

- ● ask for and give an opinion about someone: *Comment tu trouves Emma?*
    Je la trouve arrogante.
- ☐ use direct object pronouns: *Je le trouve beau. Je les trouve drôles.*
- ☐ make adjectives agree: *Je le trouve gentil. Je la trouve gentille.*
- ● use qualifiers: *Je le trouve vraiment charmant, mais un peu égoïste.*

Unité 3

I can

- ● invite someone out: *Je vais aller au cinéma ce soir. Tu viens avec moi?*
- ● accept or decline invitations: *Je veux bien, merci. Je n'ai pas trop envie.*
- ● make arrangements to go out: *Il y a une séance à deux heures. On se retrouve chez moi.*
- ● use time expressions: *cet après-midi, demain matin*
- ☐ use the near future tense: *On va faire les magasins, puis manger une pizza.*

Unité 4

I can

- ● describe a date: *Je suis allé à une fête avec Julie. On a dansé ensemble.*
- ● ask questions about a past event: *Ça s'est passé comment?*
- ● say what it was like: *C'était romantique. C'était un désastre.*
- ☐ use the perfect tense: *Je suis restée chez moi avec Alex. On a regardé un DVD.*

Unité 5

I can

- ● talk about a music event: *Je suis allé(e) à un concert en plein air avec mes copains. L'ambiance était géniale, on a dansé toute la soirée.*
- ☐ use three tenses: *J'écoute toutes sortes de musiques, mais hier, je suis allé(e) à un concert de rock. Samedi prochain, je vais télécharger le nouvel album de mon chanteur préféré.*

1 Qu'est-ce qu'ils font sur Facebook? Pour chaque personne, note (a) les <u>deux</u> activités et (b) la fréquence. (1–4)

Exemple: **1 a** reads messages, ... **b** every day, ...

2 En tandem. Fais un dialogue. Utilise les questions et les renseignements A ou B.

● *Tu es allé(e) où, le weekend dernier?*
● *Qu'est-ce que tu as fait?*

● *Ça s'est passé comment?*

3 Lis et choisis la bonne phrase.

1 The classical concert is next weekend/was last weekend.

2 Amélie listens to classical music a lot/doesn't usually listen to classical music.

3 Matthieu plays in the school orchestra/played in the concert Amélie went to see.

4 Amélie finds Matthieu a bit boring/likes Matthieu's personality.

5 Amélie has already bought/is going to buy tickets to see Jenifer in concert.

6 Matthieu likes Jenifer's music/looks.

Le weekend dernier, je suis sortie avec mon petit copain, Matthieu. On est allés à un concert de musique classique en plein air. Normalement, je n'écoute pas ce genre de musique, mais Matthieu aime ça, car il joue du violon dans l'orchestre de notre collège. L'ambiance du concert était sympa et c'était une soirée assez romantique. Après, Matthieu nous a acheté des glaces et il m'a raccompagnée chez moi. Je le trouve vraiment charmant et gentil. Mais samedi prochain, on va écouter la musique que je préfère! J'ai acheté des billets pour un concert de Jenifer qui est une de mes chanteuses préférées. Matthieu n'aime pas beaucoup la musique de Jenifer, mais il la trouve très belle, alors il va être content!

Amélie

4 Imagine que tu es sorti(e) avec une célébrité. Écris un paragraphe.

- Explain what you normally do at weekends.
- Say where you went and who with.
- Say what you think of him/her.
- Describe what happened and what it was like.
- Say what you are going to do next weekend and why.

Exemple:

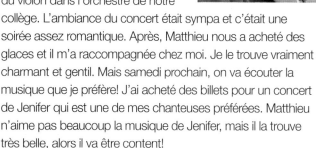

Normalement, le weekend, je ...
Mais samedi dernier, je suis allé(e) ...
avec ...! Je le/la trouve ...

Écoute et lis. Trouve la bonne photo pour chaque texte. (1–3)

Le 21 juin, ça chante et ça danse: et pas seulement en France! Trois jeunes francophones nous expliquent comment la Fête de la Musique se passe dans leur pays.

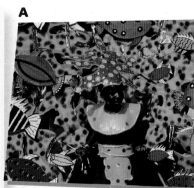

A

Ousmane, 14 ans, Tunisie

1 À Tunis, la capitale de mon pays, vers 20 heures, tout le monde se retrouve au centre-ville où il y a du hip-hop, pour faire danser tout le monde. Après, c'est la musique *live* qui commence. Cette année, il y avait d'abord un trio de rappeurs tunisiens. Je les ai trouvés sensationnels. Ensuite, c'était Cheb Khaled qui est très célèbre en Tunisie. Il chante du raï, un genre de musique pop chanté en arabe et en français. La musique a duré jusqu'à minuit!

Lola, 13 ans, Guadeloupe

B

2 Chez nous, aux Antilles, la Fête de la Musique, c'est un vrai carnaval caribéen, plein de couleurs et de styles de musique différents. Et bien sûr, il y a toujours du soleil! Dans notre capitale, Pointe-à-Pitre, les gens dansent dans la rue au rythme du zouk (une musique de danse traditionnelle, avec des paroles en créole), du reggae, du jazz, du calypso … un peu de tout, quoi! L'année dernière, il y avait aussi un groupe d'environ cent musiciens qui jouaient du tambour, un instrument traditionnel de Guadeloupe. C'était vraiment impressionnant!

Édouard, 15 ans, Québec

C

3 Dans ma ville, Montréal, la Fête de la Musique dure trois jours! Cette année, on va diviser le vieux quartier de la ville en huit zones (des «scènes»). Chaque scène va avoir un genre de musique différent: rock, pop-rock, hip-hop/rhythm and blues, musiques du monde, électronique, jazz, classique et des musiques latines/reggae. Mon père va jouer du banjo dans un groupe de jazz, mais ce n'est pas mon truc: moi, je vais passer la journée à la scène rock!

How to tackle longer, more complex texts:
- *First look at pictures and headings for clues.*
- *Then skim quickly through the text to get the gist of it.*
- *Next, re-read the text for detail, but ignore any words you don't know.*
- *Use the context of the text or a sentence to work out new words.*
- *Finally, look up any words you can't guess.*

Relis les textes. Qui dit ça? Ousmane, Lola ou Édouard?

1 The music gets everyone dancing.

2 In my town, we have three days of music.

3 It's a real Caribbean carnival here.

4 They're going to divide the town into eight music zones.

5 I thought the three rap singers were brilliant.

6 There were around 100 drummers playing.

3 Trouve les deux parties de chaque phrase.

Exemple: **1** g

A

1 Tunis, ...	**5** Le zouk, ...
2 Cheb Khaled, ...	**6** Le créole, ...
3 Le raï, ...	**7** Le tambour, ...
4 Pointe-à-Pitre, ...	**8** Montréal, ...

B

a c'est la capitale de la Guadeloupe.
b c'est un instrument de musique.
c c'est un chanteur populaire en Tunisie.
d c'est une langue qu'on parle en Guadeloupe.
e c'est une grande ville au Québec.
f c'est un style de musique populaire en Tunisie.
g c'est la capitale de la Tunisie.
h c'est un genre de musique populaire en Guadeloupe.

4 Lis et complète la traduction. Choisis les bons mots des cases. Attention! Il y a quatre mots de trop.

1 *Ensuite, c'était Cheb Khaled qui est très célèbre en Tunisie.*
Then it was Cheb Khaled, who is very ▮▮▮ in Tunisia.

2 *Chez nous, aux Antilles, c'est un vrai carnaval caribéen, plein de couleurs.*
In our country, in the ▮▮▮ , it's a real Caribbean carnival, full of colour.

3 *Il y avait aussi un groupe d'environ cent musiciens qui jouaient du tambour.*
There was also a group of about a hundred musicians, who were playing the ▮▮▮ .

4 *Dans ma ville, la Fête de la Musique dure trois jours!*
In my town, the music festival ▮▮▮ three days!

5 *Chaque scène va avoir un genre de musique différent.*
Each stage will have a different ▮▮▮ music.

6 *Mon père va jouer dans un groupe de jazz, mais ce n'est pas mon truc.*
My father is going to play in a jazz group, but that's not my ▮▮▮ .

Australia
drums
famous
unknown
begins
thing
piano
West Indies
lasts
kind of

5 Écoute. On parle de la Fête de la Musique en Tunisie (T), en Guadeloupe (G) ou au Québec (Q)? (1–4)

6 En tandem. Interviewe Ousmane, Lola ou Édouard. Utilise les questions suivantes.

● *Tu habites dans quel pays et dans quelle ville?*
● *La Fête de la Musique, c'est comment, chez toi?*
● *On peut écouter quels genres de musique?*
● *Est-ce que les gens dansent aussi?*
● *Qu'est-ce qu'il y avait à la Fête de la Musique cette année/l'année dernière?*
● *C'était comment?*
● *Qu'est-ce que tu vas faire à la Fête de la Musique cette année?*

7 Fais des recherches sur Internet sur la Fête de la Musique dans un autre pays. Imagine que tu habites dans ce pays. Décris la fête chez toi.

Include:
• where you live
• what happens during the *Fête de la Musique*
• what sort of music you can listen to
• what happened at the festival last year and what it was like
• what you are going to do at this year's festival.

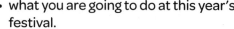

Je parle

Your challenge!

You are going to take part in a 'blind date' speed-dating event in French. You will have three minutes to present yourself. Here are some ideas:

- Give a few personal details (name, age, etc.).
- Describe yourself (looks and personality).
- Say what your interests are.
- Say something memorable about yourself (e.g. something you've done/ someone you've met).
- Mention something you're planning to do.

Use POSM to achieve great results in speaking!

Plan: Get your ideas down on paper.

Organise your ideas: What will you start with? What next? How will you finish?

Select: Choose the words and phrases you will need. Include some 'fancy French'. (See exercise 9.)

Memorise: Rehearse what you are going to say and memorise it.

1 Listen to Florian. Which sentences could he use in his speed-dating presentation? There are two 'red herrings'! (1–10)

Example: **1** ✓

2 Write eight sentences like Florian's that you could use in your presentation. Use the prompts below.

Example: Je m'appelle Matthew.

> prénom? âge? grand? petit? cheveux? yeux?
>
> passion? passe-temps? n'aime pas? caractère?

3 Look back over the module and find connectives, qualifiers and time expressions you could use in your presentation. Make three lists.

4 Listen to Élodie and fill in the gaps.

> Je m'appelle Élodie et j'ai treize ans. Je suis (**1**) ▨▨▨ petite et très mince. J'ai les cheveux noirs et très longs et les yeux marron. Ma passion, c'est la danse, (**2**) ▨▨▨ j'ai un cours de danse (**3**) ▨▨▨ par semaine, mais j'aime (**4**) ▨▨▨ aller au cinéma. En général, je préfère les comédies (**5**) ▨▨▨ les films romantiques, mais de temps en temps, je regarde des films d'action. Je n'aime pas faire du sport (**6**) ▨▨▨ je trouve ça ennuyeux. Maintenant, mon caractère. Alors ... je suis très gentille, mais (**7**) ▨▨▨, je suis (**8**) ▨▨▨ trop impatiente.

5 Note down any connectives, qualifiers and time expressions that Élodie uses which are not on your list.

6 Listen and note down the memorable things these people have done and when. (1–6)

Example: **1** Met David Beckham – last year

j'ai rencontré	I met
j'ai gagné	I won
j'ai participé à	I took part in
un concours	a competition/contest

To reach a higher level, show that you can refer to the past and the future, as well as the present.

Studio Grammaire

il y a has two meanings:
- there is/there are
- ago.

When it means 'ago', it comes **before** the expression of time:

il y a deux ans – two years ago

7 Write a sentence about a memorable experience for your presentation and say what it was like. It doesn't have to be true!

8 Decipher these sentences in the near future tense, then write a similar sentence for your presentation. Try to link it to something you have already mentioned, such as a hobby or your memorable experience.

1 samediprochainjevaisfaireunmatchdefootaucollège
2 demainsoirjevaisalleràlapatinoireavecmescopains
3 lasemaineprochainejevaisparticiperàunconcoursdedanse
4 leweekendprochainjevaistéléchargerunnouvelalbum
5 l'annéeprochainejevaisparticiperauchampionnatdetennis

9 Wow your audience with some 'fancy French'! Write three sentences for your presentation, using these ideas.

1 A sentence with *qui* in it, e.g. ... *qui est un(e) de mes (chanteurs/actrices) préféré(e)s.*
2 An opinion about someone, using a direct object pronoun, e.g. *Je le/la trouve ...*
3 Some interesting vocabulary from the module, e.g. *plein de, carrément, toutes sortes de ...*

10 Prepare what you are going to say for the speed-dating challenge. If it gives you more confidence, write it out in full first. (See the speaking top tips on page 131.) Then check that what you are going to say is accurate and makes sense.

11 Now memorise your presentation and rehearse it!

Find an audience: family, friends – even your pet!

Your challenge!

You are a journalist for a music magazine. You have been sent to a music festival. You have to write a report of around 150 words. You could include the following details:

- where you are and what it's like
- your musical tastes
- what you've done at the festival so far
- what you're going to do next.

! Use POSM to achieve great results in writing!

Plan: Get your ideas down on paper.

Organise your ideas: What will you start with? What next? How will you finish?

Select: Choose the words and phrases you will need. Include some 'fancy French'.

Make sure: Check that what you have written is accurate.

1 **Use phrases from the box to improve the variety of language in this very basic paragraph.**

J'adore le rap, j'aime le hip-hop, j'aime le R&B. Mon chanteur préféré, c'est Dizzee Rascal. Ma chanteuse préférée, c'est Lady Gaga. Mon groupe préféré, c'est JLS.

Normalement, j'écoute …

J'adore la musique de …

Je suis méga-fan de …

Un/Une des mes chanteurs/chanteuses/ groupes préféré(e)s, c'est …

2 **Write two or three sentences about your musical tastes, using a variety of phrases.**

3 **Translate these phrases into French. Use the words in the guitar to help you.**

1 because I like the words
2 because I like the rhythm
3 because I like the tune
4 because he has a lot of talent
5 because she has a beautiful voice
6 because it makes me want to dance

beaucoup de talent
la mélodie
une belle voix
ça me donne envie de
la rythmique
les paroles

4 **Unjumble these sentences that talk about the past.**

1 soir commencé hier festival le a
2 musiques de un suis du concert monde je allé à
3 reggae y il groupe avait de un excellent
4 fait a beau il très
5 géniale était l'ambiance vraiment
6 toute a soirée dansé on la

il y avait   there was/there were

5 Complete the sentences below, using your own ideas, then put them into whatever order you like, using sequencers.

Example: D'abord, j'ai fait une interview avec Rihanna. Ensuite, …

> When you want to list a series of activities, try using these sequencers to link them together:
> **d'abord   ensuite   puis   après   finalement**

j'ai fait une interview avec …

j'ai écouté un concert de …

j'ai vu …

j'ai rencontré …

il y avait un(e) chanteur/chanteuse/groupe de …

6 Write three sentences saying what something was like, which you could use with some of your sentences from exercise 5.

Example: C'était très marrant. J'ai trouvé ça un peu …

7 What are you going to do next at the music festival? Complete the sentences with your own ideas. Use the verbs below to help you.

Ce soir, je vais … Demain matin, je … Puis demain après-midi, … Demain soir, …

 aller   écouter   faire   manger   rentrer   télécharger

8 There are two mistakes in each of the sentences below. Can you find and correct them?

1 Je suis ici au Festival Megabeat ou il y a beacoup de fans de musique.
2 En géneral, j'écouter du pop-rock et quelquefois, un peu de R&B.
3 Je suis méga-fan de le musique de Rihanna, parce que j'adores la rythmique.
4 Heir, il y avait un groupe de reggae et tout le monde a danse toute la soirée.
5 Après, je rencontré le chanteur Yannick Noah qui et une de mes idoles.
6 Je vais faire une interview avec un de mes chanteuses préfèrées, Jenifer Bartoli.
7 L'aprés-midi, je vais écouté un autre concert.

> **How to check for accuracy**
>
> Check:
> • spelling (especially words with lots of vowels in them, like **beaucoup**)
> • accents (are any missing? are they the right way round?)
> • gender and number (**le, la, l'** or **les**? **un, une** or **des**? **mon, ma** or **mes**?)
> • adjectives (are endings correct?)
> • verbs (do endings match subject pronouns?)
> • perfect tense (**avoir** or **être**? is the past participle correct? does the past participle of **être** verbs need agreement?)

9 Now write your report about the music festival. When you have written it, check it carefully using the checklist on the right and correct any mistakes.

Studio Grammaire

The present tense

The biggest group of French verbs is regular **–er** verbs. They all follow the same pattern. Take –er off the infinitive and add the endings below:

*invit**er*** (to invite)

*j'invit**e**   tu invit**es**   il/elle/on invit**e**   nous invit**ons**   vous invit**ez**   ils/elles invit**ent***

Verbs with an infinitive ending in –ger take –**e**ons in the *nous* form: *nous mang**eons***.

Some key verbs such as *aller* (to go), *avoir* (to have), *être* (to be), *faire* (to do or make) and *lire* (to read) are irregular. They do not follow a pattern and so you need to learn them by heart.

1 Write out the present tense of these irregular verbs. Do as much from memory as possible. Then check with the verb tables on pages 128–130.

> ***aller   avoir   être   faire   lire***

2 Translate these sentences into French, using the verbs in brackets.

1 I update my likes. (*modifier*)
2 We (*nous*) share photos. (*partager*)
3 They (*ils*) do quizzes. (*faire*)
4 You (*tu*) have a lot of friends. (*avoir*)
5 He is on Facebook. (*être*)
6 I read my messages. (*lire*)
7 She goes onto her home page. (*aller*)
8 We (*on*) play games. (*jouer*)

Direct object pronouns

- The direct object of a sentence is the person or thing to whom the action is 'done'.
  *Je regarde **la télé**.   Je préfère **les bananes**.*
- You can replace the object of a sentence with a direct object pronoun. Direct object pronouns go in front of the verb.
  *Je **la** regarde.* (I watch it.)   *Je **les** préfère.* (I prefer them.)
- Note: although *le, la* and *les* look like the definite article ('the'), they have a different meaning here.
- Shorten *me, te, le* and *la* to *m', t'* and *l'* in front of a vowel.
  *Tu **m'**aimes? Oui, je **t'**aime.* (Do you love me? Yes, I love you.)
- In a negative sentence, the direct object pronoun goes between *ne* and the verb.
  *Je ne **les** aime pas.* (I don't like them.)

me	me
te	you
le	him/it
la	her/it
nous	us
vous	you
les	them

3 Unjumble these sentences, then translate them into English.

1 *la regarde je*
2 *aime je t'*
3 *nous elle adore*
4 *cherches les tu ?*
5 *me ils détestent*
6 *avez l' vous ?*
7 *aime ne je pas l'*
8 *m' ne il pas écoute*
9 *pas les ne tu regardes ?*
10 *l' avons pas nous ne*

4 Rewrite these sentences, replacing the word(s) in bold with a direct object pronoun.

1 *J'aime **Marie**.*
2 *Elle déteste **Hugo**.*
3 *On préfère **les fraises**.*
4 *Tu cherches **ton stylo**?*
5 *Vous avez **ma casquette**?*
6 *Il ne fait pas **ses devoirs**.*
7 *Nous n'avons pas **ton portable**.*
8 *Je n'aime pas **la musique classique**.*

The near future tense

One way of referring to the future is to use the near future tense. To form this, you use part of the verb *aller* (to go) + the infinitive of another verb.

*Je **vais faire** un piquenique. On **va aller** en ville.*

5 Complete each sentence so that it makes sense. Then translate the sentences.

1 *Demain matin, je ▇▇▇ faire les magasins.*
2 *Samedi soir, ▇▇▇ allons manger une pizza.*
3 *La semaine prochaine, on ▇▇▇ jouer au basket.*
4 *Ce soir, ▇▇▇ vas regarder un DVD?*
5 *Demain à dix heures, ils vont ▇▇▇ du judo.*
6 *Cet après-midi, vous ▇▇▇ rester à la maison?*

The perfect tense

- Most verbs form the perfect tense with part of *avoir* + a past participle.
- To form the past participle of **regular –er verbs**, take off **–er** and add **–é**:
  jouer (to play)→ *j'ai joué* (I played/I have played)
- Some important verbs have **irregular** past participles. Learn them by heart!
  boire (to drink) → *j'ai **bu*** (I drank/I have drunk)
  faire (to do) → *tu as **fait*** (you did/you have done)
  lire (to read) → *elle a **lu*** (she read/she has read)
  prendre (to take)→ *nous avons **pris*** (we took/we have taken)
  voir (to see) → *ils ont **vu*** (they saw/they have seen)
- With a small number of verbs (mostly verbs of movement), you use *être* to form the perfect tense. See page 130 for a complete list.

  You add an extra *e* to the past participle in the feminine (*elle est restée*) and an extra *s* in the plural (*ils sont sortis/elles sont parties*).

6 Put the verbs in brackets into the perfect tense. Then translate the sentences.

1 *Je (manger) un hamburger avec Rémi et on (boire) du coca.*
2 *Je (sortir) avec Cassandra. Nous (faire) un piquenique.*
3 *Tu (aller) au cinéma avec Damien? Vous (voir) quel film?*
4 *Il (rester) chez lui avec Julie. Ils (regarder) un DVD.*
5 *Elles (jouer) au bowling, puis elles (rentrer) à la maison.*
6 *Nous (prendre) le bus et nous (arriver) à deux heures.*
7 *Mon frère (lire) un livre de science-fiction, puis il (partir).*
8 *Elle (entrer) dans la cuisine et elle (parler) avec Alex.*

7 Fill in each gap in the text with one of the verbs below. There are two verbs too many. Use the time expressions in the text to help you decide on the correct tense to use.

Ma passion, c'est la musique! J' **1** ▇▇▇ tout le temps du rock et une fois par semaine, je **2** ▇▇▇ les nouveautés sur mon mp3. Tous les ans, en juillet, je **3** ▇▇▇ à un festival de musique avec mes copains. L'année dernière, on **4** ▇▇▇ au Festival des Vieilles Charrues, en Bretagne. On **5** ▇▇▇ un de mes groupes préférés et on **6** ▇▇▇ toute la soirée. C'était génial. Samedi prochain, je **7** ▇▇▇ les magasins parce que je **8** ▇▇▇ le nouvel album de Megadeth. Puis samedi soir, je **9** ▇▇▇ à un concert de rock à Paris. Ah oui, je **10** ▇▇▇ méga-fan de musique!

ai fait   vais acheter   a dansé   suis   écoute   vais aller

télécharge   vais   est allés   vais faire   va télécharger   a vu

Vocabulaire

Sur Facebook • *On Facebook*

Je vais sur ma page perso.	*I go onto my home page.*
Je lis mes messages.	*I read my messages.*
Je poste des messages.	*I post messages.*
Je modifie mes préférences.	*I update my likes.*
J'invite mes copains.	*I invite my friends.*
Je fais des quiz.	*I do quizzes.*
Je joue à des jeux.	*I play games.*
Je regarde des photos.	*I look at photos.*
Je commente des photos.	*I comment on photos./ I leave comments on photos.*
Je passe des heures ...	*I spend hours ...*
On organise des sorties.	*We arrange to go out.*
On partage des photos.	*We share photos.*
On s'envoie ...	*We send each other ...*
des liens vers des vidéos	*video links*

Les adjectifs • *Adjectives*

arrogant(e)	*arrogant*
beau/belle	*good-looking/beautiful*
charmant(e)	*charming*
drôle	*funny*
égoïste	*selfish*
généreux/généreuse	*generous*
gentil(le)	*kind*
jaloux/jalouse	*jealous*
joli(e)	*pretty*
lunatique	*moody*
pénible	*a pain*
timide	*shy*

Les invitations • *Invitations*

Je vais/On va ...	*I'm/We're going to ...*
aller au cinéma/en ville	*go to the cinema/into town*
aller à la patinoire/ à une fête	*go to the skating rink/ to a party*
faire les magasins	*go shopping*
faire un piquenique	*have a picnic*
Tu viens avec moi/nous?	*Are you coming with me/us?*
Tu veux m'/nous accompagner?	*Do you want to come with me/us?*
Ça t'intéresse?	*Are you interested?*
On se retrouve où/ à quelle heure?	*Where/When shall we meet?*
chez moi/toi	*at my/your place*
Il y a une séance à ...	*There's a showing at ...*
À plus.	*See you later.*
À demain/samedi.	*See you tomorrow/on Saturday.*

Les réactions • *Reactions*

Oui, merci. Je veux bien.	*Yes, please. I'd like to.*
D'accord, si tu veux.	*OK, if you like.*
Génial! Bonne idée!	*Great! Good idea!*
Pourquoi pas?	*Why not?*
Je n'ai pas trop envie.	*I don't really want to.*
Tu rigoles!	*You're joking!*
C'est vraiment nul!	*That's really rubbish!*
J'ai horreur de ça!	*I hate that!*

Quand? • *When?*

ce matin/soir	*this morning/evening*
cet après-midi	*this afternoon*
demain matin	*tomorrow morning*
samedi après-midi	*Saturday afternoon*
dimanche soir	*Sunday evening*
hier	*yesterday*
samedi dernier	*last Saturday*
le weekend dernier	*last weekend*
l'année dernière	*last year*

Les sorties • *Going out*

Je suis sorti(e) avec ...	*I went out with ...*
Je suis/On est allé(e)(s) ...	*I/We went ...*
au cinéma/à une fête/ en ville	*to the cinema/to a party/into town*
J'ai/On a ...	*I/We ...*
bavardé	*chatted*
bu du coca	*drank cola*
fait les magasins	*went shopping*
fait une promenade	*went for a walk*
joué au bowling	*went bowling*
mangé un hamburger	*ate a burger*
regardé un DVD	*watched a DVD*
bien rigolé	*had a real laugh*
On a dansé ensemble.	*We danced together.*
Je suis resté(e) à la maison.	*I stayed at home.*

Ça s'est passé • *How did it go?* comment?

C'était ...	*It was ...*
cool/génial	*cool/great*
intéressant/marrant	*interesting/funny*
romantique/sympa	*romantic/nice*
affreux/bizarre	*terrible/weird*
ennuyeux/horrible	*boring/horrible*
nul/un désastre	*rubbish/a disaster*

Les mots essentiels • *High-frequency words*

très	*very*
assez	*quite*
un peu	*a bit*
trop	*too*
carrément	*completely*
vraiment	*really*
avec	*with*
normalement	*normally*
en général	*mostly*
d'habitude	*usually*
tout/toute/tous/toutes	*all/every*
de temps en temps	*from time to time*
quelquefois	*sometimes*
souvent	*often*
tous les jours	*every day*
tous les weekends	*every weekend*
tout le temps	*all the time*
une fois/deux fois ...	*once/twice ...*
... par jour/semaine/mois	*... a day/week/month*

Stratégie 1

Learning new vocabulary

Sometimes you can recognise a French word or even remember how to spell it, but forget what it means. One way of remembering words that just won't stick is to put them into English sentences and repeat them to yourself.

For example, to remember the French words for 'summer' and 'winter', you could say 'The weather's always a lot nicer *en été* than *en hiver*.' Or to remember the word for 'often', you could say 'I'm *souvent* forgetting to hand my homework in on time.' See how many more you can come up with. The funnier the better!

Module 2 Bien dans sa peau

Did you know?

- 1,500 cups of coffee are drunk every minute in France.
- 34 kilos of sugar are consumed by the average French person each year.
- The average French person eats 1.8 kilos of breakfast cereal each year. A British person eats 7 kilos!
- 3.8 kilos of strawberries are eaten every second in France.

Surfing is a great way to stay fit and is becoming increasingly popular in France. The best surfing beaches are on the south-west Atlantic coast, where you can expect big waves in the autumn and winter. Jeremy Flores and Tim Boal are both young French surfers to watch. Where can you surf in the UK? Do you fancy riding a wave?

Paintballing has become very popular in France. In the last five years, it has increased in popularity more than any other sport.

Do you know the rules? Why do you think it is so popular? Would you like to play?

More than 6 million French children eat in the school canteen every day. There are strict rules about French school lunches to make sure that pupils eat a balanced diet, including raw fruit and vegetables, protein, fibre, vitamins and not too many fried foods.
A typical lunch menu might be:

Crudités
Poulet rôti Haricots verts
Petit fromage frais

How does this menu compare with the one in your school canteen?

According to a recent survey, the top three most popular dishes in France are:

1 *blanquette de veau*
2 *couscous*
3 *moules frites.*

The favourite dessert in France is ice cream.

Have you tried any of the French favourites?
What would your top three dishes be?

When you see an escalator, do you get on it or do you take the stairs? You should do 30 minutes' physical activity per day in order to stay healthy. You don't have to be super sporty – just make sure you walk instead of going in the car or taking the bus.

Learning the parts of the body

Using à + the definite article

1 **Écoute et écris la bonne lettre. (1–14)**

Exemple: **1** h

Le corps

a la tête

b la main

c les fesses

d le genou

e l'épaule

f le bras

g le dos

h la jambe

i le pied

Le visage

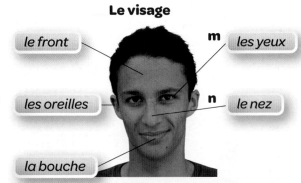

j le front

k les oreilles

l la bouche

m les yeux

n le nez

2 **On joue au paintball. Écoute et complète le tableau. (1–4)**

1 Hélio 2 Odyssée 3 Charles 4 Fatima

	touché(e)
1 Hélio	au bras, …

Studio Grammaire

You use **à** + the definite article when you want to say where you've been hit (on the leg, etc.).

à + le → **au** bras (on the arm)

à + la → **à la** jambe (on the leg)

à + l' → **à l'** épaule (on the shoulder)

à + les → **aux** yeux (in the eyes)

3 **En tandem. Fais quatre dialogues. Utilise les renseignements suivants.**

Exemple:

● *Tu es touché(e)? Où est-ce que tu es touché(e)?*

■ *Au bras et à la jambe et aussi à la tête.*

un œil	one eye
des yeux	eyes

A

B

C

D

E Invente un autre dialogue!

4 **À quatre. Invente un scénario de paintball. Utilise les phrases suivantes.**

PAF! Ah non! C'est pas possible!

Quelle horreur! Pas de chance!

Before you start, think of all the questions you could use for finding out what's wrong. Here are some to start you off:

Tu es touché(e)? Have you been hit?

Qu'est-ce qui s'est passé? What happened?

Lis le texte et choisis les bons mots pour compléter chaque phrase.

le casque	helmet

Le paintball, c'est ma passion!

Nous sommes l'association de paintball de la Côte d'Opale.

Nous jouons tous les dimanches sur notre terrain près de Boulogne.

Pour 30 euros, nous proposons deux heures de jeux, avec 300 billes, le casque et tout le matériel nécessaire.

Vous devez suivre nos règles de sécurité au pied de la lettre, car le paintball, c'est un jeu extrême qui doit être contrôlé.

- Si vous êtes touché(e) à la jambe ou au bras, vous êtes blessé(e), mais vous n'êtes pas éliminé(e).
- Si vous êtes touché(e) au dos, à l'épaule, au visage ou à beaucoup d'endroits différents, vous êtes éliminé(e).
- Ici, le fairplay et le respect sont très importants. Nous aimons jouer et nous aimons gagner!

L'année dernière, nous avons accueilli huit cents visiteurs.

Venez nous rejoindre un dimanche! Vous aussi, vous allez adorer le paintball!

1 L'association de paintball de la Côte d'Opale joue tous les dimanches/samedis.

2 Leur terrain n'est pas loin de Boulogne/Biarritz.

3 Pour 30 euros, vous pouvez jouer pendant 120 minutes/180 minutes.

4 Si vous êtes touché(e) à la jambe ou au bras, vous êtes blessé(e)/éliminé(e).

5 Pour l'association de paintball de la Côte d'Opale, le fairplay est très important/sans importance.

6 L'année dernière, il y a eu plus de sept cents/mille visiteurs au centre.

Studio Grammaire Page 48

You can use **on** to mean 'we', but **nous** also means 'we'.

The verb ending for *nous* is **–ons**.

–er verbs, e.g. aim**er**	*faire*	*aller*
*nous aim**ons***	*nous faisons*	*nous allons*

 Fais correspondre les phrases et les photos.

 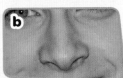  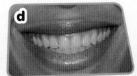 

1 Ce sont les yeux de Cheryl Cole.

2 C'est la main de Catherine, Duchesse de Cambridge.

3 C'est le nez de Daniel Radcliffe.

4 C'est la bouche de Beyoncé.

5 C'est le front de Justin Bieber.

*In French, to say that something belongs to someone you use **de**:*

les cheveux de Cheryl Cole   *Cheryl Cole's hair*

le pied de Lionel Messi   *Lionel Messi's foot*

 En tandem. Ce sont les cheveux (etc.) de qui? Discute!

Exemple:

● *Je crois que ce sont les oreilles du prince Harry.*

■ *Non, je ne suis pas d'accord. Je pense que ce sont les oreilles du prince Charles.*

    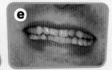

 Décris ta personne idéale.

Exemple: Ma personne idéale a les pieds de Lionel Messi ...

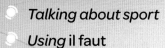

Le sport et le fitness

- Talking about sport
- Using il faut

1 Écoute et lis le texte.

> **Renaud Lefèvre est un jeune tennisman qui est passionné de sport.**
>
> Renaud a commencé à jouer quand il était tout petit, à l'âge de cinq ans. Il a maintenant quatorze ans, ce qui veut dire qu'il joue au tennis depuis neuf ans déjà.
>
> Le samedi, il se lève tôt, à sept heures. Il a cours de huit heures à dix heures, et puis, après une petite pause, il joue un match qui peut durer entre une heure et trois heures. L'après-midi, il travaille sa technique avec son coach et son équipe; alors, il a encore deux heures d'entraînement. Le dimanche, c'est la même routine: il passe huit heures sur le court de tennis, c'est-à-dire toute la journée! Le weekend dernier, il a donc passé seize heures sur le court!
>
> Son tennisman préféré est Gaël Monfils parce qu'il est le roi de la glisse. Renaud l'appelle «Sliderman». Pendant la semaine, Renaud fait des activités physiques tous les jours. Il fait du footing ou il joue au basket et, une fois par semaine, il fait de la natation.
>
> Voici le credo sportif de Renaud pour être un bon joueur:
> - Il faut aimer la compétition.
> - Il faut avoir un bon programme pour être en forme.
> - Il faut bien manger.
> - Il faut bien dormir parce qu'on ne peut pas gagner si on est fatigué(e).
> - Il faut être motivé(e)!
>
> Vous allez voir, Renaud Lefèvre va être un grand sportif!

ce qui veut dire	which means
c'est-à-dire	that is to say
le roi de la glisse	the king of the slide
le credo sportif	sporting guidelines

2 Relis le texte et note: vrai (V) ou faux (F).

1 Renaud joue au tennis depuis quatorze ans.
2 Le samedi, sa journée commence à sept heures.
3 Le samedi matin, il a un cours de tennis qui dure deux heures.
4 Le dimanche, il ne joue pas au tennis.
5 Il aime beaucoup le joueur de tennis Gaël Monfils.
6 Renaud n'a pas d'entraînement pendant la semaine.

Studio Grammaire
» Page 48

il faut literally means 'it is necessary to', but you use it to mean 'I must'/'I need to', 'you must'/'you need to' or 'we must'/'we need to'. It is normally followed by an infinitive.

Il faut gagner.   I/You/We must win.
Il faut bien manger.   I/You/We must eat well.

Studio Grammaire

Use **depuis** + present tense to say how long something has been happening.
*Renaud joue **depuis** neuf ans.*
Renaud has been playing for nine years.

3 Choisis six phrases du texte. Change un élément dans chaque phrase.
Compare tes phrases avec celles de ton/ta camarade.
Exemple:

> Renaud Lefèvre est un jeune
> footballeur qui est passionné de sport.

*When you are adapting your sentences, remember to apply the grammatical rules you know. For example, if you change Renaud to a girl, you will have to change **il** to **elle** and you will also have to check the adjective endings.*

 Qui parle? Lis, écoute et écris le bon prénom. (1–5)

Que penses-tu du sport?

Mattéo
Moi, j'adore la compétition, mais j'aime aussi jouer dans une équipe, travailler avec les gens, quoi. En sport, il faut apprendre à suivre les règles et c'est quelque chose qui est important dans la vie.

Candice
Si on veut être en forme, il faut faire un peu de sport. Pour moi, le sport diminue le stress et je crois fermement que c'est bon pour le moral. Ça booste le moral!

Damien
Moi, je n'aime pas trop le sport, ça me fatigue. Et s'il pleut ou s'il fait froid, je ne vais pas sortir faire du sport, je préfère rester chez moi à la maison avec des jeux vidéo!

Leïla
Moi, je trouve ça très ennuyeux de courir sur un stade ou d'aller dans une salle de sport. Je préfère surfer sur Internet ou regarder la télé.

Fouad
J'adore le sport. J'aime beaucoup la sensation de bien-être qu'on ressent quand on fait du sport et j'aime aussi les valeurs que le sport représente: le respect de soi et des autres, le fairplay.

> **courir sur un stade** *to run about on a sports ground*

 When you are dealing with texts, scan them for cognates to help you understand the gist.

Cognates are words which are the same or similar in French and English, e.g. **la compétition** = competition.

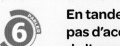 **Relis les textes de l'exercice 4 et écris le bon prénom.**

Who ...

1 likes sport because it's good for morale?
2 finds sport tiring?
3 gets a feeling of well-being from playing sport?
4 thinks that in sport you have to learn how to follow rules?
5 thinks running around a sports ground is no fun?

En tandem. Tu es d'accord ou pas d'accord avec les jeunes de l'exercice 4?

Exemple:

● *Moi, je suis d'accord avec Damien. Je n'aime pas trop le sport parce que ça me fatigue.*

À mon avis,	le sport	diminue le stress.
		est bon pour le moral.
		est important dans la vie.
Je crois fermement	qu'il faut	faire du sport tous les jours.
		avoir un bon programme pour être en forme.
		apprendre à suivre les règles.
Je n'aime pas trop le sport	parce que	ça me fatigue.
		je n'aime pas la compétition.
		je préfère jouer à des jeux vidéo.
		je trouve ça très ennuyeux de courir sur un stade.

 Tu es fou/folle de sport ou tu es anti-sport? Écris un paragraphe où tu donnes ton opinion sur le sport.

Double your money!

You can make your vocabulary go a lot further by adapting phrases you have learned. Try making negative phrases positive and making positive phrases negative.

Je n'aime pas la compétition. → **J'aime la compétition.**

J'aime jouer dans une équipe. → **Je n'aime pas jouer dans une équipe.**

Mes résolutions pour manger sain

Learning about healthy eating

Using the future tense

① Fais correspondre les photos et les légendes.

 a
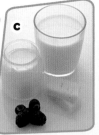 b
 c
 d
 e

 f
 g
 h
 i
 j

1 Je mangerai trois produits laitiers par jour.
2 Je mangerai cinq portions de fruits ou de légumes par jour.
3 Je ne mangerai pas de chips.
4 Je mangerai du pain, des céréales, des pommes de terre ou des légumes secs à chaque repas.
5 Je mangerai équilibré.
6 Je mangerai de la viande, du poisson ou des œufs une ou deux fois par jour.
7 Je ne mangerai pas trop de sucreries ou trop de gâteaux.
8 Je ne mangerai pas trop de sel.
9 Je boirai beaucoup d'eau.
10 Je ne boirai jamais de boissons gazeuses.

Studio Grammaire

> Page 48

To talk about the future, you can use:

- the **near future tense**: *aller* + the infinitive (going to)
- the **future tense** (will …).

To form the future tense, use the **future stem** plus the appropriate ending (for *je*, the ending is *–ai*).

For *–er* verbs, the future stem is the infinitive.

je mangerai   I will eat

For *–re* verbs, drop the *–e* from the infinitive to make the stem.

je boirai   I will drink

② Écoute et vérifie tes réponses. (1–10)

③ Quelles sont leurs résolutions pour manger sain? Écoute et écris les bonnes lettres de l'exercice 1. (1–4)

Exemple: **1** a, …

④ Fais un sondage dans la classe. Pose la question suivante à six personnes. Note les réponses. Chaque personne doit donner quatre résolutions.

● *Quelles sont tes résolutions pour manger sain?*
■ *Premièrement/Deuxièmement/Troisièmement/Quatrièmement, …*
  je mangerai/boirai …
  je ne mangerai/boirai pas/jamais de …

5 **Lis les textes. Choisis les bons mots pour compléter chaque phrase.**

Moi, je fais du sport régulièrement. Je joue au hockey sur glace, mais je ne mange pas très sain. Mon coach pense que je dois changer mes habitudes, alors voici mes résolutions pour l'avenir.

D'abord, je mangerai cinq portions de fruits par jour. Pas de légumes, parce que je déteste ça, mais beaucoup de fruits. Ensuite, je ne boirai jamais de boissons gazeuses. J'aime beaucoup le coca, c'est vrai, mais je n'en boirai pas parce que c'est très sucré. Je boirai de l'eau à la place. Je ne mangerai plus de hamburgers (j'ai mangé le dernier hier soir!) et je ne mangerai pas trop de frites.

Mon coach me dit que je pourrai manger un paquet de chips de temps en temps si je veux. Il est sympa! **Gabriel**

Moi, je ne mange pas très sain, et alors? J'adore la nourriture de fastfood. Je trouve ça pratique et en plus, ce n'est pas cher. J'aime beaucoup aller au fastfood avec mes copains. J'y suis allé hier soir. On mange et on discute. C'est sympa. J'adore la nourriture salée, les frites, les chips et les sucreries. Je ne veux pas être en forme, alors je n'ai pas de résolutions pour manger sain. Je mangerai ce que je veux. Je déteste les légumes et je n'en mangerai pas. Non merci! Je ne mangerai pas de fruits non plus! Et je ne mangerai jamais de produits laitiers! Le yaourt – BEURK!

Je déteste l'eau. Ça n'a aucun goût, alors je n'en bois jamais. Je préfère les boissons gazeuses, et j'en boirai à chaque repas si je veux! **Léo**

1 Le coach de Gabriel pense que Gabriel doit manger plus sain/moins sain.

2 Gabriel mangera beaucoup de légumes/fruits.

3 Gabriel ne boira pas d'eau/de coca.

4 Gabriel ne mangera pas de hamburgers/de chips.

5 Léo mange équilibré/mal.

6 Léo pense que c'est agréable/désagréable d'aller au fastfood.

7 Léo adore/déteste les produits laitiers.

8 À l'avenir, Léo continuera de boire de l'eau/des boissons gazeuses.

6 **Écoute. Qu'est-ce qu'ils mangent et boivent? Copie et complète le tableau en anglais. (1–4)**

1 Élisa   **2** Florian   **3** Clarisse   **4** Manu

		normally	yesterday	in future
1	Élisa			

Studio Grammaire   *Page 49*

Negative expressions go around the verb.

Je **ne** mangerai **pas** de hamburgers.	I won't eat burgers.
Je **ne** boirai **jamais** de boissons gazeuses.	I will never drink fizzy drinks.

7 **Tu es un ange ou un diable? Écris un paragraphe sur tes résolutions pour manger sain ou pas sain!**

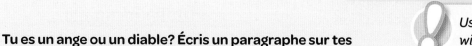

Je mangerai sain.
Je mangerai beaucoup de …
Je ne mangerai pas trop de …
Je boirai beaucoup de …
Mais je ne boirai jamais de …

Je ne mangerai pas sain.
Je mangerai beaucoup de …
Je mangerai trop de …
Je boirai beaucoup de …
Mais je ne boirai jamais de …

Use the negatives you know with the future tense. If you want to be diabolically unhealthy, you can make all the healthy eating phrases you know mean exactly the opposite.

Je ne mangerai pas cinq portions de fruits et de légumes. Non merci!

Je ne boirai jamais d'eau.

Make your answer more interesting by adding your opinions.

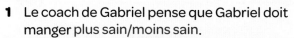

Écoute et lis l'histoire.

Je me coucherai de bonne heure. I will go to bed early.
l'échec (m) failure

Relis l'histoire et trouve les erreurs dans ces phrases.

1 Au camp fitness, on fera des activités physiques deux fois par semaine.
2 Simon boira beaucoup de boissons gazeuses.
3 Jamel fera rarement de l'exercice.
4 Margot mangera des frites tous les soirs.
5 Le camp fitness sera facile.

Écoute. Quelles sont leurs résolutions au camp fitness?
Copie et remplis le tableau en anglais. (1–3)

1 Nico   2 Coline   3 Axelle

	resolutions
1 Nico	

Studio Grammaire

Page 48

The future tense verb endings are:

je manger**ai**	I will eat
tu manger**as**	you will eat
il/elle/on manger**a**	he/she/we will eat
nous manger**ons**	we will eat
vous manger**ez**	you will eat
ils/elles manger**ont**	they will eat

avoir, être, aller and **faire** have irregular future stems, but take the same endings:

j'**aur**ai	I will have
tu **ser**as	you will be
il **ir**a	he will go
on **fer**a	we will do/make

Lis les textes et note vrai (V) ou faux (F).

Pour être en forme, d'abord, je ferai régulièrement du sport, c'est-à-dire que je jouerai au foot deux fois par semaine et je ne jouerai plus à des jeux vidéo ☹. J'irai au collège à vélo et pas en voiture. Je ne mangerai plus de hamburgers et je ne boirai jamais de boissons gazeuses. ☺ Voilà!

Pol

Pour être en forme, d'abord, je mangerai équilibré, c'est-à-dire que je mangerai beaucoup de légumes et je ne mangerai plus de frites ☹. Le matin, je ne prendrai pas le bus, je marcherai jusqu'au collège et je prendrai les escaliers. ☺ Je ferai au moins trente minutes d'exercice par jour. Je prendrai peut-être des cours d'arts martiaux.

Laëtitia

1 Pour être en forme, Pol jouera au foot deux fois par semaine.
2 Il jouera régulièrement à des jeux vidéo.
3 Il ira au collège à vélo.
4 Il boira beaucoup de boissons gazeuses.
5 Laëtitia mangera beaucoup de frites.
6 Le matin, elle ira au collège à pied.
7 Elle fera au moins trente minutes d'exercice par semaine.
8 Elle prendra des cours de dessin.

c'est-à-dire *that is to say*

 En tandem. Joue! Jette le dé et donne tes résolutions.

Exemple: Je jouerai au foot et je ne jouerai plus à des jeux vidéo.

Écris huit règles pour un camp anti-fitness en utilisant le futur.

Exemple:

Au camp anti-fitness, on mangera beaucoup de sucreries.

Now that you have learned the future tense, you can apply the rules to a lot of verbs you are familiar with already.
je regarderai I will watch
j'écouterai I will listen
je surferai I will surf

1 Écoute et lis les textes.

Moi, j'adore jouer à des jeux vidéo. Je n'aime pas beaucoup le sport, je trouve ça très ennuyeux de courir sur un stade.

Mon problème, c'est que je veux être en forme, mais je ne suis pas très actif.

Alors, j'ai pris des résolutions. D'abord, j'irai au collège à pied, je ne prendrai pas le bus. Comme ça, je ferai au moins trente minutes d'exercice par jour.

Ensuite, je mangerai équilibré. Je ne mangerai plus de frites et je ne mangerai pas de sucreries. Je boirai aussi beaucoup d'eau.

Hier, je suis allé au collège à pied, et à midi, j'ai mangé une salade. L'après-midi, je suis allé au fastfood avec des copains mais j'ai bu un verre d'eau et je n'ai pas pris de hamburger!

Malik

Moi, j'adore le paintball. C'est génial! À mon avis, ça diminue le stress. Si on joue au paintball, il faut être en forme. Moi, je mange assez sain, j'adore les fruits et je bois beaucoup d'eau.

Mon problème, c'est que je me couche tard. J'aime beaucoup surfer sur Internet jusqu'à minuit, et si on veut gagner au paintball, il faut bien dormir. On ne peut pas gagner si on est fatigué.

Alors, j'ai pris des résolutions: je me coucherai de bonne heure. J'irai dans ma chambre à neuf heures, je regarderai un peu la télé et puis dodo!

Hier, j'ai commencé ma nouvelle routine: je suis allée dans ma chambre, j'ai regardé un peu la télé et j'ai éteint la lumière à dix heures du soir. Je serai en forme pour le weekend!

Élise

dodo	*sleep*
J'ai éteint la lumière.	*I put out the light.*

2 Relis les textes. C'est vrai (V) ou faux (F)?

1 Malik est passionné de sport.
2 Élise aime manger des fruits.
3 Malik ira au collège à vélo.
4 Élise a décidé de se coucher plus tôt.
5 Malik arrêtera de manger des frites.
6 Élise surfera sur Internet dans sa chambre.
7 Hier après-midi, Malik est allé au fastfood.
8 Hier, Élise est allée se coucher à 22 heures.

3 Copie et remplis le tableau avec les verbes des textes de l'exercice 1. Écris chaque verbe dans la bonne colonne.

passé	présent	futur	anglais
	j'adore		I love
		je ne mangerai pas	I will not eat

To get a higher level, show that you can use three tenses together accurately.

- PRESENT: *J'**adore** les fruits, je **mange** beaucoup de légumes et je **bois** beaucoup d'eau.*
- PERFECT: *Hier, à midi, j'**ai mangé** à la cantine. J'**ai pris** une salade et une banane.*
- FUTURE: *Je ne **mangerai** plus de frites.*

 Écoute Loïc et Estelle. Copie et remplis le tableau en anglais. (1–2)

1 Loïc **2** Estelle

	passion	problem	resolutions	progress so far
1 Loïc				

 Tu es Jamel ou Noëlle. Prépare un exposé sur «mes résolutions».

Jamel

♥ le foot

♥ la compétition

♥ l'esprit d'équipe

⚠ les hamburgers
les sucreries
les frites

Résolutions: d'abord

Ensuite

Hier

Noëlle

♥ surfer sur Internet

♥ jouer à des jeux vidéo

⚠ pas très active

🚫 sport

Résolutions: d'abord

Ensuite

Hier: 30 minutes d'exercice

> Don't just stick to the outline provided here. Use what you know to say as much as you can.
>
> If you have chosen Jamel, you could say more about why you like sport. Try to personalise your answers as much as possible.

Mes résolutions

Moi, j'adore ...

Mon problème, c'est que ...

Alors, j'ai pris des résolutions.

D'abord, ...

Ensuite, ...

Hier, ...

 Écris le profil de Mélodie.

Exemple: Mélodie adore l'athlétisme. Elle ...

- loves athletics
- trains twice a week
- is fit
- drinks a lot of water
- problem - loves chocolate and fizzy drinks
- will eat less chocolate
- will not drink fizzy drinks
- yesterday, ate two apples, drank lots of water, didn't eat any chocolate

Bilan

Unité 1

I can

- name the parts of the body: *le bras, le dos, le genou*
- react if someone is injured: *Quelle horreur! C'est pas possible!*
- ☐ use the *nous* form of the present tense: *Nous jouons tous les dimanches sur notre terrain près de Boulogne.*
- ☐ use *à* + the definite article: *Je suis touché(e) à la jambe.*

Unité 2

I can

- talk about someone's sporting routine: *L'après-midi, il travaille sa technique avec son coach et son équipe.*
- give my opinion on sport: *À mon avis, le sport diminue le stress.*
- ☐ use *il faut* + the infinitive: *Il faut aimer la compétition.*
- ☐ use *depuis*:   *Renaud joue depuis neuf ans.*

Unité 3

I can

- talk about healthy eating: *Je mangerai de la viande, du poisson ou des œufs une ou deux fois par jour.*
- ask what someone's resolutions are to stay healthy: *Quelles sont tes résolutions pour manger sain?*
- ☐ use the *je* form of the future tense: *Je mangerai cinq portions de fruits ou de légumes par jour.*
- ☐ use negatives: *Je ne boirai jamais de boissons gazeuses.*

Unité 4

I can

- say what I will do to get fit: *J'irai au collège à vélo et pas en voiture.*
- ☐ use different forms of the future tense: *Au camp anti-fitness, on ne mangera pas beaucoup de fruits.*
- ☐ use irregular verbs in the future tense: *Je ferai tous les jours des activités physiques.*

Unité 5

I can

- talk about getting fit: *Moi, je mange assez sain, j'adore les fruits et je bois beaucoup d'eau.*
- ☐ use three tenses together: *Je ne suis pas très actif/active, mais j'ai pris des résolutions. D'abord, j'irai au collège à pied.*

Écoute et écris les bonnes lettres. (1–2)

a    **b**    **c**    **d**    **e**

 En tandem. Réponds à ces questions.
- *Pour manger sain, qu'est-ce que tu manges?*
- *Qu'est-ce que tu as mangé hier?*
- *Quelles sont tes résolutions pour être en forme?*
- *Qu'est-ce que tu mangeras la semaine prochaine?*

 Lis le texte et termine les phrases en anglais.

Moi, je suis passionnée de natation. J'en fais depuis neuf ans. Je me lève tous les jours à cinq heures et demie du matin et je fais une heure d'entraînement avant le collège. Le weekend, j'ai cours de huit heures à dix heures, et puis normalement, il y a des compétitions pendant la journée. Le weekend dernier, j'ai fait deux compétitions, mais je n'ai pas gagné.

Pour avoir du succès, il faut être discipliné et il faut aimer la compétition. Un jour, j'irai aux Jeux olympiques, c'est promis!

Jade

1 Jade has been swimming for ▮ .

2 Every day, she gets up at ▮ .

3 Normally after her weekend lessons there are ▮ .

4 Last weekend, she ▮ .

5 To be successful, you have to ▮ .

 Écris une liste de six résolutions pour être en forme. Utilise les images.

Écoute et lis le texte.

Alerte rouge chez les ados!

Près d'un adolescent sur deux ne pratique pas d'activité physique régulière.

Entre 15 et 17 ans, les filles ne sont que 24,4% à pratiquer une activité, contre 63,3% des garçons du même âge.

Différents facteurs expliquent la situation. Aujourd'hui, les moyens de transport ont remplacé la marche. La prédominance de l'écran (télévision, Internet, jeux vidéo) a bouleversé le mode de vie des jeunes. Chez les 15–17 ans, on passe plus de trois heures par jour devant un écran.

Un corps de rêve et une forme au top, ça se cultive très tôt. Un manque d'activité physique à l'adolescence peut être à l'origine de futures maladies.

Allez les ados, abandonnez l'ascenseur pour monter à pied, passez en mode vélo ou roller pour vous déplacer. Prenez des cours de danse ou d'arts martiaux. Bougez-vous!

ne ... que	only
bouleverser	to turn upside down/to disrupt
un corps de rêve	a dream body

When you are reading a more complex passage, use the English questions to help you understand the French text. Find English words in the questions that might give you clues to the meanings of some of the French words, and above all, use common sense!

Relis le texte et complète les phrases en anglais.

1 Almost one adolescent in two does not ▇▇▇ on a regular basis.
2 Between the ages of 15 and 17, 24.4% of girls take part in a physical activity, compared with ▇▇▇ .
3 Where they used to walk, people now ▇▇▇ .
4 15-17 year olds spend more than three hours per day ▇▇▇ .
5 Inactivity can be the cause of ▇▇▇ .
6 Adolescents should walk upstairs rather than taking the lift and get about by ▇▇▇ or ▇▇▇ rather than in vehicles.

Trouve des synonymes pour les expressions suivantes dans le texte.

1 faire de l'exercice
2 actuellement
3 les randonnées
4 un physique idéal
5 une excellente santé
6 causer
7 laisser tomber
8 bouger

Whenever you read a text in French, think 'What can I find in here that I can use myself?' Use the language you come across for you own purposes. Make it your own. Identify at least five phrases in the text above that you will use in your next piece of oral or written work.

 Tu as lu l'article «Alerte rouge chez les ados!» et tu as pris certaines résolutions.
Mets les mots dans le bon ordre.

1 Je activité régulièrement une pratiquerai physique .

2 un écran Je mon temps passerai pas tout ne devant .

3 au lieu Je de prendre le ou marcherai bus la voiture .

4 de J'aurai un rêve corps .

5 et monterai l'ascenseur J'abandonnerai je à pied .

6 vélo me déplacerai Je à .

 Thomas et Chloé discutent de l'article. Qui dit ça? Thomas ou Chloé? Écoute et lis.

a
> C'est vrai. Si on veut brûler des calories, si on veut être en forme, il faut être actif, il faut bouger.

b
> Oui. Un adulte obèse ou inactif aura souvent de sérieux problèmes de santé, du diabète ou des maladies de cœur, par exemple.

c
> À mon avis, il faut prendre le problème du manque d'activité physique chez les jeunes au sérieux.

d
> Si tu veux, on prendra des cours de danse ensemble. Ça te dit?

e
> Les jeunes passent plus de trois heures par jour devant un écran. C'est trop!

f
> Je suis d'accord. Je crois qu'il faut aussi examiner le problème de l'obésité chez les adolescents.

g
> Je suis d'accord avec toi. Hier, au centre commercial, j'ai pris l'ascenseur. La prochaine fois, je monterai à pied.

h
> Tu as raison. Aujourd'hui, les ados prennent le bus au lieu de marcher. Moi, j'ai pris le bus hier pour venir au collège. Demain, je viendrai au collège à pied. Je ne veux pas être obèse!

> **au lieu de**   *instead of*

 Prépare un exposé sur la forme.

- Give two facts about teenage inactivity.
- Give your opinion.
- Say that you have decided to get fit.
- List your five resolutions.

 Juge tes amis! *(Rate your mates!)*
Give your friends a mark out of five for the following categories:

a *communication – what they say, the content*

b *quality of language – the way they choose to say it, structures and vocabulary, their pronunciation, how accurate they are*

c *confidence and fluency – their presentational skills.*

Make a comment.

- **Très bonne prononciation.**
- **Continue comme ça!**
- **Très intéressant, vraiment très réussi.**
- **Un peu plus d'effort, s'il te plaît!**

J'écris

Your challenge!

How I am going to change my life!

You have been burning the candle at both ends. You have decided to opt for a healthier lifestyle. Write a blog entry about your decision. Write about 150 words.

Include the following details:

- Write about something unhealthy you did last weekend.
- Say how you feel today (not very well).
- Say you have made some resolutions.
- Say what you will do in the future to get fit and stay fit!

1 Note down ten places you might have gone to last weekend.

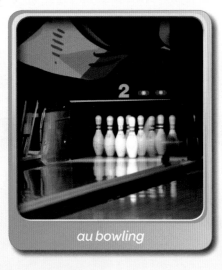

au bowling

au fastfood

chez un copain

2 Unjumble these verbs in the perfect tense. Add five verbs of your own.

Example: **1** je suis sorti

1 ej isus trois
2 ia j' gnamé
3 j'ia arrgdeé

4 no tes élals
5 ai j' sirp

> Check the verb tables on pages 128–130 for how to form the perfect tense.

3 Copy the table and put the time markers into the right column. Choose at least three to use in your own text.

past	present	future

le weekend dernier   aujourd'hui   à l'avenir   demain

la semaine prochaine   samedi dernier   ce matin   dimanche dernier   hier

4 Find five expressions with *il faut* in this word snake. Add four more of your own.

ilfautmangeréquilibréilnefautpasmangertropdefritesilfautêtreactifilnefautpasmangertropdesucreriesilfautboirebeaucoupd'eau

5 Decode these sentences in the future tense. Choose three you could use in your blog entry.

a J'irai au collège à vélo et pas en voiture.

b Je mangerai équilibré.

c Je ferai au moins trente minutes d'exercice par jour.

d Je prendrai les escaliers

e Je jouerai au foot au lieu de jouer à des jeux vidéo.

f Je ne mangerai plus de frites et je ne mangerai plus de hamburgers.

6 Find the correct sentence half to complete the sentences in this text. Think carefully about the context and the tense you need to look for.

Le weekend dernier, je suis sorti avec des copains ❶ ▅▅.
D'abord, nous sommes allés au restaurant où ❷ ▅▅.
Ensuite, nous sommes allés en ville et on a dansé toute la soirée parce que ❸ ▅▅.
C'était génial. Je suis rentré à minuit. Je n'ai pas bien dormi!
Aujourd'hui, je ne vais pas bien du tout ...
J'ai lu un article sur la santé des jeunes et j'ai pris des résolutions pour l'avenir parce que ❹ ▅▅.
D'abord, pour être en forme, il faut manger sain, alors ❺ ▅▅.
Je boirai beaucoup d'eau et je ne boirai plus de boissons gazeuses.
Ensuite, il faut faire au moins trente minutes d'activité physique tous les jours, alors ❻ ▅▅.
Finalement, il faut se reposer. Il faut dormir huit heures par jour, alors je serai sage et je me coucherai de bonne heure.

a j'adore danser.
b je marcherai jusqu'au collège et je prendrai des cours de danse parce que j'adore ça.
c parce que c'était mon anniversaire.
d je veux être en forme.
e j'ai mangé une pizza avec beaucoup de frites.
f je ne mangerai plus de hamburgers, c'est décidé.

7 Plan and write your blog entry.

Check:
- *that you spell words correctly*
- *that verb endings agree with the subject*
- *that the accents are there and are the right way round*
- *your punctuation.*

How can you know whether the quality of your writing is good enough?

In the text from exercise 6, find:
- *connectives*
- *opinions*
- *reasons*
- *tenses.*

Include all of these in your work and you will be on the right track.

Studio Grammaire

Using *nous* in the present tense

There are two words in French for 'we': *on* and *nous*. To make the **nous** form of an *–er* or *–re* verb, add **–ons** as an ending. To make the **nous** form of an *–ir* verb, add **–issons** as an ending.

–er verbs	*–ir* verbs	*–re* verbs
nous jouons	*nous finissons*	*nous vendons*

Irregular *nous* forms:

faire → *nous faisons*

prendre → *nous prenons*

être → *nous sommes*

1 Translate these verbs into French.

1 we surf	**3** we follow	**5** we go
2 we like	**4** we watch	**6** we have

il faut

il faut means 'it is necessary to', but you use it to mean 'I must'/'I need to', 'you must'/ 'you need to' or 'we must'/'we need to'. It is normally followed by an infinitive.

Il faut manger sain.   It is necessary to eat healthily./You must eat healthily.

2 Choose the appropriate infinitive for each sentence. Then translate the sentences into English.

1 *Il faut* ▓▓▓ *la compétition.*

2 *Il faut* ▓▓▓ *un bon programme pour être en forme.*

3 *Il faut* ▓▓▓ *à suivre les règles.*

4 *Il faut bien* ▓▓▓ *parce qu'on ne peut pas gagner si on est fatigué.*

5 *Il faut* ▓▓▓ *motivé.*

6 *Il faut* ▓▓▓ *de l'exercice.*

7 *Il ne faut pas* ▓▓▓ *trop de sucreries.*

8 *Il ne faut pas* ▓▓▓ *trop de boissons gazeuses.*

être   *aimer*   *dormir*   *avoir*   *apprendre*   *faire*   *manger*   *boire*

The future tense

To talk about the future, you can use the:

- **near future tense**, *aller* + the infinitive (going to)
- **future tense** (will …) (see pages 128–130).

À l'avenir, je prendrai les escaliers.   In the future, I will take the stairs.

The future tense is formed using the future stem and the appropriate endings.

*je manger**ai***	*nous manger**ons***
*tu manger**as***	*vous manger**ez***
*il/elle/on manger**a***	*ils/elles manger**ont***

avoir, *être*, *aller* and *faire* have irregular future stems, but take the same endings:

*j'aur**ai***	*il ir**a***
*tu ser**as***	*on fer**a***

3 Write out all the parts of the verbs *regarder* and *aller* in the future tense.

4 Put the verbs in brackets into the future tense.

> Je ne suis pas en forme mais je veux être en forme. Alors, j'ai décidé de bouger!
> Voici mes résolutions.
> Premièrement: je ❶ (manger) équilibré.
> Deuxièmement: j' ❷ (aller) au collège à pied au lieu de prendre le bus.
> Troisièmement: je ❸ (prendre) les escaliers au lieu de l'ascenseur.
> Quatrièmement: je ❹ (faire) au moins trente minutes d'activité physique par jour.
> Cinquièmement: je ❺ (jouer) au foot et je ne jouerai plus à des jeux vidéo.
> Ce ❻ (être) difficile, mais j'y arriverai!

5 Copy and complete the text using the correct forms of the future tense.

À l'avenir, je . Je jouerai au volley avec mes copains. On après le collège

et puis, après le match, 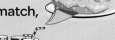 au café. Nous mangerons tous équilibré. Akim

et Mohammed ![] . Et toi, qu'est-ce que tu ▬ pour être en forme?

6 Translate the text from exercise 5 into English.

Negatives

Negatives go around the verb.

*Je **ne** joue **pas** au tennis.*   I don't play tennis.

Ne shortens to ***n'*** before a vowel.

*Elle **n'**aime **pas** les légumes.*

ne … jamais = never   *ne … plus* = no longer

After a negative *un, une* and *du, de la, de l', des* become *de*.

7 Make these sentences negative using the construction in brackets. Translate the sentences into English.

1 *J'aime la nourriture de fastfood. (ne … pas)*
2 *Elle fera trente minutes d'exercice par jour. (ne … pas)*
3 *Tu mangeras des frites? (ne … plus)*
4 *Nous allons à la salle de gym. (ne … jamais)*
5 *Je bois des boissons gazeuses. (ne … jamais)*
6 *J'irai au fastfood. (ne … plus)*

Using three tenses together

8 Copy this text and put the verbs in brackets into the correct tense.

Hier soir, je (regarder) la télévision avec mon frère. Nous (choisir) une émission de télé-réalité et ensuite, je (surfer) un peu sur Internet. Mais je n'ai pas fait mes devoirs et je (décider) que je passe trop de temps devant un écran. Ce n'est pas sain. On ne (pouvoir) pas être en forme si on ne bouge pas. Alors, hier, je (prendre) une résolution. À partir de demain, je (passer) une heure à surfer sur Internet et je (regarder) la télé pendant trente minutes, pas plus.

Vocabulaire

Les parties du corps • *Parts of the body*

la bouche	mouth
le bras	arm
le corps	body
le dos	back
l'épaule (f)	shoulder
les fesses (fpl)	buttocks
le front	forehead
le genou	knee
la jambe	leg
la main	hand
le nez	nose
les oreilles (fpl)	ears
le pied	foot
la tête	head
le visage	face
les yeux (mpl)	eyes

On joue au paintball • *We go paintballing*

Qu'est-ce qui s'est passé?	What happened?
Tu es touché(e)?	Have you been hit?
Où est-ce que tu es touché(e)?	Where have you been hit?
le terrain	grounds
les billes (fpl)	paintballs
le casque	helmet
le matériel	materials
les règles (fpl)	rules
le fairplay	fairplay
le respect	respect

Le sport et le fitness • *Sport and fitness*

Pour arriver en forme, il faut …	In order to get fit, you must …
avoir un bon programme	have a good schedule
bien manger	eat well
bien dormir	sleep well
être motivé(e)	be motivated
faire du sport tous les jours	do sport every day
jouer dans une équipe	play in a team

Tu aimes le sport? • *Do you like sport?*

Le sport …	Sport …
diminue le stress	decreases stress
est bon pour le moral	is good for morale
est important dans la vie	is important in life
Ça me fatigue.	It makes me tired.
Il faut apprendre à suivre les règles.	You must learn to follow rules.

Les opinions • *Opinions*

À mon avis, …	In my opinion, …
Moi, je trouve ça très ennuyeux de … (+ inf).	I find it very boring to …
Je crois fermement que …	I firmly believe that …

Manger sain • *Healthy eating*

les boissons gazeuses	*fizzy drinks*
les céréales (fpl)	*cereals*
les chips (fpl)	*crisps*
l'eau (f)	*water*
les fruits (mpl)	*fruit*
les gâteaux (mpl)	*cakes*
les légumes (mpl)	*vegetables*
les légumes secs	*pulses*
la nourriture salée	*salty food*
les œufs (mpl)	*eggs*
le pain	*bread*
le poisson	*fish*
les pommes de terre (fpl)	*potatoes*
les produits laitiers (mpl)	*dairy products*
le repas	*meal*
le sel	*salt*
les sucreries (fpl)	*sweets/confectionery*
la viande	*meat*
manger équilibré	*to have a balanced diet*

Les mots essentiels • *High-frequency words*

alors	*so/then*
au moins	*at least*
c'est-à-dire	*that is to say*
ce qui veut dire	*which means*
chaque	*each*
d'abord	*first*
de bonne heure	*early*
deux fois par semaine	*twice a week*
donc	*so*
ensuite	*then*
finalement	*finally*
où	*where*
peut-être	*perhaps*
pour le futur	*for the future*
quand	*when*
tous les jours	*every day*
Voilà!	*That's that!/ Here you are!/ There you go!*

Pour être en forme ... • *In order to keep fit ...*

Je ferai du sport.	*I will do sport.*
Je ferai trente minutes d'exercice par jour.	*I will do 30 minutes' exercise a day.*
J'irai au collège à vélo et pas en voiture.	*I will go to school by bike and not by car.*
Je jouerai au foot.	*I will play football.*
Je mangerai équilibré.	*I will eat a balanced diet.*
Je marcherai jusqu'au collège.	*I will walk to school.*
Je ne boirai jamais de boissons gazeuses.	*I will never drink fizzy drinks.*
Je ne jouerai plus à des jeux vidéo.	*I won't play with video games any more.*
Je ne mangerai plus de frites/hamburgers.	*I will not eat chips/ hamburgers any more.*
Je ne prendrai pas le bus.	*I will not take the bus.*
Je prendrai les escaliers.	*I will take the stairs.*
Je prendrai des cours d'arts martiaux.	*I will take martial-arts classes.*

Stratégie 2

Endings, not beginnings

When you want to work out what a verb means, look at the end of the word as well as the beginning.

mang**er**	*to eat (the infinitive)*
mang**e**	*eat/am eating (present tense)*
mang**é**	*ate (past participle)*
mang**erai**	*will eat (future tense)*

Module 3 À l'horizon

Eighty-six per cent of UK businesses think that it's an advantage for their employees to have learned a foreign language. Most international business courses now include languages as a compulsory part of their programme.

In 2010 in the European Union, there were 27 member states, 23 official languages and 500 million inhabitants, and the population gets bigger by the day.

How many countries can you name in Europe?

Did you know that only six per cent of the world's population speak English as their mother tongue?

Which other languages do you think it would be useful to learn?

You don't have to work in an office. You can be anything you want to be. If you worked in France, you could farm oysters, grow Christmas trees, draw ski-resort maps, make chocolates, design aeroplanes ... Or you could make a living working at a theme park such as Parc Astérix and dressing up as Astérix!

Vive les 35 heures!

Just six per cent of French people consider their job to be perfect, while in the UK ten per cent of employees think their job is ideal. The French look for variety, opportunities to travel and some degree of responsibility in their work.

What are the three things that would make a job perfect for you?

In 2000, a law was introduced in France, saying that the working week should be no more than 35 hours long. The government introduced the law to improve people's work–life balance.

France is very well known for its fashion houses. Dior, Hermès, Chanel and Yves Saint Laurent are four famous ones.

Do you know any other French fashion houses? Would you like to work in fashion?

France is a huge tourist destination and many people work in the tourism sector. Many people visit France for its wonderful food and wine.

Do you fancy becoming a chef or growing vines?

One interesting job in France is that of a fragrance designer. If you do this job in France, you are called *un nez*.

Why do think that is?

Es-tu fait pour ce métier?

1 Écoute et écris la bonne lettre. (1–8)

a avocat(e)

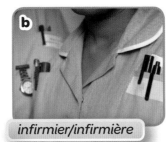

b infirmier/infirmière

c directeur/directrice de magasin

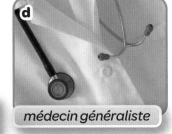

d médecin généraliste

e comptable

f webdesigner

g professeur

h vétérinaire

2 Fais correspondre les personnes et les professions de l'exercice 1.

Exemple: Éva – webdesigner

Je suis accro aux multimédias.
Éva

La médecine m'intéresse.
Jamel

J'aime travailler avec les enfants.
Yann

Ma passion, c'est la mode.
Clarisse

Je suis intéressée par la justice.
Fatima

J'aime aider les autres.
Albane

J'adore les animaux.
Dimitri

Les chiffres me fascinent.
Alexandra

3 Écoute et vérifie tes réponses. (1–8)

4 En tandem. Fais une liste de dix emplois qui t'intéressent. Cherche les mots dans le dictionnaire, si nécessaire.

Studio Grammaire

In French, all nouns are masculine or feminine.

Some job words change to show gender:

Il est **directeur**.

Elle est **directrice**.

When you are saying what you want to do, you don't need the word for 'a'.

Je veux être vendeur.   I want to be a salesman.

botaniste   ingénieur   chanteur
footballeur   juge   chauffeur de taxi
guide touristique   sociologue
pilote   barman

5 Fais un sondage dans la classe. Pose cette question à dix personnes. Note les réponses.

● *Qu'est-ce que tu veux faire plus tard?*

■ *Je veux être …*

 Extend your answer by giving a reason. Look back at how people express their likes and interests in exercise 2:

J'aime/j'adore/j'aime beaucoup …

Je suis accro à …

Je suis intéressé(e) par …

Ma passion, c'est …

… m'intéresse/me fascine.

6 Écoute. Que pensent-ils des professions? Copie et complète le tableau en anglais. (1–4)

	profession	opinion	other details
1			

Les opinions

 Oui, c'est mon rêve!

 Oui, pourquoi pas? Ce serait bien.

 Pas vraiment. Ce serait ennuyeux.

Tu rigoles! Ça ne m'intéresse pas du tout.

7 En tandem. Fais des dialogues. Utilise les professions de l'exercice 1.

● *Être avocat(e), ça t'intéresse?*

■ *Oui, peut-être. Ce serait bien. Et toi, ça t'intéresse?*

● *Tu rigoles! Ça ne m'intéresse pas du tout.*

| **Ce serait bien.** | That would be good. |

8 Choisis les bons mots pour compléter le texte.

Je m'appelle Charles et je veux être mécanicien car j'aime beaucoup travailler avec mes mains et j'adore **1** les voitures/les animaux/les guitares. Je suis surtout très intéressé par les moteurs. J'aime aussi **2** danser/parler/chanter avec les gens, et c'est bien, parce que dans ce métier, aimer le contact avec les autres est important. Il faut beaucoup de **3** patience/générosité/amitié et je crois que je suis assez patient.

L'année **4** dernière/prochaine/suivante, j'ai fait un stage dans un garage. C'était hyper bien. J'ai même réparé les freins d'une **5** voiture/charrette/bicyclette.

Je vais faire un baccalauréat professionnel maintenance de véhicules automobiles, et puis je vais **6** chercher/perdre/vendre un job!

même	even
une charrette	a cart
un baccalauréat professionnel	vocational qualification gained at age 18

9 Écris un paragraphe sur un métier que tu aimerais faire.

Exemple:

Être … m'intéresse car j'aime beaucoup …

À mon avis, ce serait …

Par contre, être …, ça ne m'intéresse pas

parce que je crois que ce serait …

 You can add more variety to your writing by:

• using negatives: **Je ne suis pas intéressé(e) par …/À mon avis, ce ne serait pas …**

• using **aussi** (also) and **surtout** (especially) to make your answers stand out

• adding an opinion and a reason

• adding an example of the perfect tense.

Écoute et lis les textes.

A

Si on veut travailler avec les gens, parler une langue étrangère, c'est un plus. Quand on parle d'autres langues, on peut rencontrer des personnes intéressantes de cultures différentes. On doit aimer le contact avec les autres et respecter les différences, c'est important dans la vie et le travail.

B

Si on veut être commercial export, parler une langue étrangère, c'est essentiel, parce qu'on doit acheter et vendre des produits dans la langue du pays où on travaille. Quand on est commercial export, on doit beaucoup voyager et donc, on peut voir le monde.

C

Si on veut découvrir le monde, parler une langue étrangère, c'est essentiel. On doit être curieux et ouvert, c'est important. Les employeurs aiment ces qualités. Si on parle une langue étrangère et si on a voyagé, c'est un plus. On peut trouver un bon emploi.

D

Si on veut trouver un bon emploi, parler une langue étrangère, c'est un avantage. Si on parle une autre langue, on peut travailler dans un autre pays, on peut discuter avec les gens, et surtout, on peut rigoler avec eux.

Relis les textes et corrige les erreurs dans ces phrases.

1 Si on veut travailler avec les gens, parler une langue étrangère, ce n'est pas essentiel.

2 On doit détester le contact avec les autres.

3 Quand on est commercial export, on doit vendre des produits dans sa langue maternelle.

4 Avec les langues étrangères, on peut rester à la maison.

5 Si on veut trouver un bon emploi, parler une autre langue, c'est sans importance.

Studio Grammaire

» Page 70

Modal verbs are usually followed by the infinitive.

On peut voyager. You can travel.

pouvoir (to be able to/'can')	***vouloir*** (to want to)	***devoir*** (to have to/'must')
je peux	*je veux*	*je dois*
tu peux	*tu veux*	*tu dois*
il/elle/on peut	*il/elle/on veut*	*il/elle/on doit*
nous pouvons	*nous voulons*	*nous devons*
vous pouvez	*vous voulez*	*vous devez*
ils/elles peuvent	*ils/elles veulent*	*ils/elles doivent*

3 Écris ton opinion sur l'importance des langues étrangères pour les métiers ci-dessous.

- Si on veut être ..., parler une langue étrangère, c'est essentiel.
- Si on veut être ..., parler une langue étrangère, c'est un plus/un avantage.
- Si on veut être ..., parler une langue étrangère, ce n'est pas essentiel.

manager

interprète

professeur   **journaliste**   **diplomate**   reporter   **pilote**

chauffeur de camion   guide touristique   **animateur de club de vacances**

 4 **En tandem. Compare tes réponses à celles de ton/ta camarade.**

Exemple:

● *À mon avis, si on veut être diplomate, parler une langue étrangère, c'est essentiel.*

■ *Oui, je suis d'accord. Si on veut être diplomate, parler une langue étrangère, c'est essentiel.*

> Give a reason for your opinions. Look back at the texts in exercise 1 or the sentences you wrote in exercise 3. Use this language to help you justify your opinions.
>
> **Si on veut être diplomate, parler une langue étrangère, c'est essentiel, parce qu'on doit voyager.**

 5 **Écoute Christine et Mahmoud. Écris le bon prénom pour compléter chaque phrase.**

| une acheteuse habillement | a clothes buyer |
| un comparateur de prix sur Internet | a price comparison website |

1 ▆▆ travaille comme acheteuse habillement.
2 ▆▆ travaille pour un comparateur de prix sur Internet.
3 ▆▆ aime beaucoup son travail parce que c'est très créatif.
4 ▆▆ aime beaucoup son travail parce que c'est très varié.
5 Dans la profession de ▆▆, parler une langue étrangère, c'est un plus.
6 Dans la profession de ▆▆, parler une langue étrangère, c'est essentiel.
7 L'année prochaine, ▆▆ va faire un stage à Barcelone.
8 Hier, ▆▆ a discuté avec ses ingénieurs en Inde.

Christine

Mahmoud

 6 **Choisis un de ces jobs. Prépare et fais un mini-exposé.**

If you want to be an interpreter:
- languages are essential
- you can meet lots of people and you can travel
- you must like having contact with people
- you must respect differences.

If you want to be a lorry driver:
- languages are not essential but they are a plus
- you must be very independent
- you must like to travel
- you can discover the world.

> Make your presentation better by adding opinions and another tense. Personalise your response by using language you learned on pages 54–55.
>
> **Être interprète ne m'intéresse pas parce que je crois que ce serait trop difficile.**
>
> Being an interpreter doesn't interest me because I think it would be too difficult.
>
> Turn to page 131 for some tips on how to give confident presentations.

1 Écoute et lis l'interview.

Carte d'identité

Nom: Salim Derechef
Âge: 28
Profession: journaliste

Salim Derechef est journaliste. Dans cette interview, il nous parle de son enfance:

Intervieweur: Est-ce que tu aimais le collège, Salim?
Salim: Oui, j'aimais bien le collège. J'avais beaucoup d'amis. J'étais membre de plein de clubs. C'était génial.

Intervieweur: Quel genre d'élève étais-tu?
Salim: J'étais bon élève. J'écoutais en classe, je faisais mes devoirs. J'aimais beaucoup l'histoire et le français. J'avais de bonnes notes!

Intervieweur: Quels étaient tes passetemps?
Salim: Quand j'étais plus jeune, je faisais beaucoup de sport car j'adorais la compétition. Je jouais au volley et au foot, et je faisais du judo deux fois par semaine.

2 Copie et complète le tableau pour Salim.

Opinion sur le collège (positive ou négative):	
Opinion sur les clubs (positive ou négative):	
Bon ou mauvais élève?	
Matières préférées:	
Passetemps:	

Studio Grammaire

» Page **71**

The imperfect tense is used to describe what you used to do or what you used to be like.

You already know two forms:

c'était   it was
il y avait   there was/were

To form the imperfect tense, take the *nous* form of the present tense, remove *–ons* and add the following endings:

~~nous regardons~~

*je regard**ais***
*tu regard**ais***
*il/elle/on regard**ait***
*nous regard**ions***
*vous regard**iez***
*ils/elles regard**aient***

être has an irregular stem: ***ét–***

*j'**ét**ais*   I was

3 Trouve l'équivalent de ces verbes dans le texte de l'exercice 1.

1 I used to like
2 I had
3 I was
4 I used to do
5 I used to love
6 I used to play

When you pronounce the imperfect tense, make the singular endings sound like 'eh'.

4 Écoute. Trouve les bonnes images pour chaque personne. Écris K pour Kevan ou M pour Madeleine.

a   b   c   d   e   f

5 En tandem. Fais trois dialogues. Fais des commentaires sur le travail de ton/ta camarade.

● *Est-ce que tu aimais le collège?*
■ 1 ✓ 2 ✗ 3 ✓

● *Quel genre d'élève étais-tu?*
■ 1 ✓ 2 ✗ 3 ✗

● *Quels étaient tes passetemps?*
■ 1  2 3

Attention à la prononciation!
Donne-moi plus de détails, s'il te plaît.
Ce n'est pas assez. Donne ton opinion.
Un peu plus d'effort, s'il te plaît!

6 Lis les textes et écris le bon prénom.

Aline: 21 ans, webdesigner

Quand j'étais plus jeune, j'adorais les sites Internet. Je surfais tout le temps. Je réalisais des animations graphiques. J'avais mon site à moi où je postais tout mon travail. Je jouais tout le temps sur mon ordi, pas forcément à des jeux, mais j'allais sur beaucoup de sites différents et j'observais ce qu'il y avait.

Arthur: 24 ans, pâtissier

Quand j'étais plus jeune, j'adorais faire des gâteaux. Mon père était pâtissier et après l'école, j'allais à la pâtisserie où je le regardais travailler. Je jouais avec la pâte d'amande, je faisais des petits animaux ou des voitures. Et puis je les mangeais! J'adorais ça. C'était amusant. Aujourd'hui, moi aussi, je suis pâtissier!

Alex: 18 ans, chanteur

Quand j'étais plus jeune, je chantais tout le temps. J'adorais ça. Je faisais de la musique après le collège. Moi, je jouais de la guitare et je chantais, et mon frère jouait du piano. Aujourd'hui, je suis chanteur professionnel!

Qui ...
1 aimait les biscuits?
2 aimait l'informatique?
3 aimait jouer d'un instrument?
4 regardait son père travailler?
5 jouait avec son frère?
6 faisait des dessins animés?

7 Écris un paragraphe sur le passé d'une personne imaginaire.

Quand j'étais plus jeune, j'étais ...
j'avais ...
j'aimais ...
je faisais ...
je jouais ...
je regardais ...
je n'aimais pas ...

Even though you are using a new tense to write your paragraph, you can still use your box of tricks to show off what you know.
- Use connectives: **et, mais, aussi**.
- Use time markers: **quelquefois, souvent, tout le temps**.
- Use intensifiers: **beaucoup, vraiment**.
- Use negatives: **J'adorais ... mais je n'aimais pas du tout ...**
- Give opinions: **C'était génial. J'adorais ça.**

Ta vie sera comment?

○ Discussing your future and your past
○ Practising the future and imperfect tenses

Lis les textes et note vrai (V) ou faux (F).

Romain | Info | Photos | + |

Salut! Je m'appelle Romain. J'ai quatorze ans et je suis en troisième au collège. Je suis jeune, mais j'ai déjà des projets d'avenir. Les voici! L'année prochaine, je quitterai le collège et je ferai un apprentissage dans un hôtel. Dans quatre ans, je voyagerai et je travaillerai à l'étranger. Dans dix ans, je tomberai amoureux de quelqu'un dans un hôtel de luxe.

Dans vingt ans, j'habiterai sur une île tropicale. Dans trente ans, j'aurai peut-être une Ferrari et je crois que je serai très heureux!

Coralie | Info | Photos | + |

Coucou! Je m'appelle Coralie. J'ai quatorze ans et je suis en troisième au collège. Voici mes ambitions: l'année prochaine, je quitterai le collège et j'irai au lycée. Dans quatre ans, quand j'aurai dix-huit ans, je ferai des études à la fac.

Dans dix ans, j'aurai peut-être un emploi bien payé. Ce sera bien, je mangerai au restaurant tous les soirs! Dans vingt ans, quand j'aurai des enfants, j'habiterai dans une grande maison. Dans trente ans, je crois que je serai très riche et je passerai des vacances à la montagne.

Les voici! Here they are!	**de nouveau** again
à la fac at university	

1 Dans dix ans, Coralie aura un bon salaire.
2 L'année prochaine, Romain quittera le collège.
3 Dans quatre ans, Coralie travaillera à l'étranger.
4 Dans vingt ans, Romain habitera dans une grande ville.
5 Dans trente ans, Coralie aura beaucoup d'argent.
6 Dans trente ans, Romain sera content.
7 Dans vingt ans, Romain aura une Ferrari.
8 Dans vingt ans, Coralie habitera dans un grand appartement.

> **Studio Grammaire** » *Page 70*
>
> In the future tense, for **–er** verbs, the future stem is the infinitive.
>
> je **travailler**ai I will work
>
> *avoir, être, aller* and *faire* have irregular future stems, but take the same endings.
>
> j'aur**ai** I will have
> je ser**ai** I will be
> j'ir**ai** I will go
> je fer**ai** I will do/make

Comment sera ta vie? Écris ton avenir en dix mots!

Exemple: Je tomberai amoureux/amoureuse de quelqu'un et je serai très heureux/heureuse!

Écoute et choisis la bonne fin pour chaque phrase.

1 Leïla est en troisième/quatrième.
2 L'année prochaine, Leïla ira au lycée/à la fac.
3 Dans dix ans, Leïla sera avocate/professeur.
4 Dans vingt ans, Leïla aura cinq/six enfants.
5 Quand il était petit, Matthieu pensait souvent/rarement à son avenir.
6 L'année prochaine, Matthieu fera un apprentissage chez Renault/Peugeot.
7 Dans quatre ans, Matthieu travaillera comme médecin/mécanicien.
8 Dans vingt ans, Matthieu sera très riche/célèbre.

In the listening task, Leïla and Matthieu used fillers to play for time.

These are very useful when you are speaking if you can't immediately think of the word you need. Use at least three of these fillers when you do the next speaking task.

alors	so
voyons	let's see
euh	uh
je ne sais pas	I don't know
ah oui, c'est ça	oh yes, that's it

En tandem. Fais deux dialogues.

● *Tu es en quelle classe?*

■ *Je suis en troisième.*

● *Est-ce que tu pensais à ton avenir, quand tu étais petit(e)?*

■ *Quand j'étais petit(e), je pensais souvent à l'avenir.*
Quand j'étais petit(e), je ne pensais jamais à l'avenir.

● *Comment sera ta vie, à ton avis?*

■ *Dans deux ans, je ...*
Dans quatre ans, je crois que ...
Dans dix ans, peut-être que je ....
Dans vingt ans, je ...
Dans trente ans, je crois que ...

 Lis le texte et termine les phrases en anglais.

 Quand j'étais petite, j'adorais lire des bandes dessinées, surtout *Titeuf*, qui est très drôle. Alors, j'ai décidé de tenter ma chance comme dessinatrice de bande dessinée. Donc, dans deux ans, je quitterai le lycée et j'irai à l'École européenne supérieure de l'image à Angoulême où j'étudierai les bases du métier. Alors, dans dix ans, je serai peut-être célèbre et très riche.

Je voyagerai beaucoup, je crois que je ferai le tour du monde, et ce sera super!

Ensuite, je tomberai amoureuse de quelqu'un et j'habiterai à Paris avec lui. Je crois que j'aurai un ou deux enfants et je serai très heureuse parce que je trouverai un très bon équilibre entre ma vie professionnelle et ma vie privée!

Léna

> *les bases*   the basics

1 When she was little, Léna loved ...

2 In two years, she will leave ...

3 ... and will go to Angoulême, where ...

4 In ten years, she will ...

5 Then she will ...

6 She will be very happy, because ...

 Écris un paragraphe pour décrire l'avenir de Pedro ou de Malika. Utilise *il* ou *elle*.

Pedro
Didn't think much about the future when he was little.

In 4 years - leave school
In 10 years - be rich
In 20 years - fall in love

Malika
Didn't think much about the future when she was little.

In 4 years - travel the world
In 10 years - be very rich, have a Ferrari
In 20 years - live on a tropical island

*When you are writing in the **il** or **elle** form (the third person singular), check that you are using the correct verb endings. For the future tense, the ending will be **–a**.*

il ira   *he will go*
elle fera   *she will do*

*Another thing to check are the words for 'his' and 'hers': **son, sa, ses**.*

Il trouvera un très bon équilibre entre sa vie professionnelle et sa vie privée!

 Fais un sondage dans ta classe. Pose la question suivante et note les réponses.

● *Que feras-tu dans dix ans?*

Who can be certain what the future will bring? The following phrases are used in this unit. See how many you can include in your responses to the question in the survey.

Je ne sais pas (encore).   *I don't know (yet).*
Ça dépend.   *It depends.*
peut-être   *perhaps*
Je crois que ...   *I think that ...*

Talking about your job

Using different tenses together

 Écoute et lis le texte.

Quand j'étais petit, je jouais tout le temps à des jeux vidéo et j'inventais des jeux dans ma tête. J'adorais ça. Eh bien, maintenant, c'est mon job, puisque je suis game designer à Paris. J'adore mon boulot. C'est le top du top! Quand on veut créer un jeu, d'abord, on a une réunion où chacun peut donner ses idées. Pour ma part, je dois inventer les règles, les personnages et l'univers où les personnages vont habiter. Je dois rendre le jeu interactif et attractif. Je dois aussi coordonner toutes les équipes: les programmeurs, les animateurs, ...

Si on veut être game designer, on doit aimer le contact avec les autres, il faut aimer travailler en équipe et savoir communiquer ses idées. C'est très stimulant et motivant mais, quelquefois, si les choses ne fonctionnent pas, ça peut être un peu frustrant. Côté formation, j'ai fait mes études à l'ENJMIN. Ensuite, j'ai travaillé à Annecy et puis je suis venu à Paris. L'année prochaine, je ferai un stage aux États-Unis. Je voudrais voir comment ça se passe dans la Silicon Valley. Après, j'irai en Inde parce que les informaticiens indiens sont des génies. Un jour j'aurai peut-être ma propre boîte et ce sera la meilleure période de ma vie.

Vincent, 27 ans

 Copie et remplis la fiche pour Vincent.

Name: _____

Job: _____

Responsibilities/Tasks: _____

Qualities needed: _____

Training/Experience: _____

Future: _____

pour ma part	for my part
rendre	to make
ENJMIN	École Nationale du Jeu et des Médias Interactifs Numériques
ma propre boîte	my own company

 Relis le texte et corrige les erreurs dans ces phrases.

1 Quand il était petit, Vincent jouait tout le temps au football.
2 Vincent travaille seul.
3 Selon Vincent, le travail de game designer n'est pas très intéressant.
4 Vincent a travaillé à Paris, puis à Annecy.
5 Quand Vincent aura sa propre entreprise, ce sera affreux.

Trouve les synonymes pour ces mots dans le texte.

1 je créais
2 mon travail
3 vivre
4 passionnant
5 entreprise

When you have worked out the synonyms, think about how you could use them in your own work for variety. Show off your knowledge. You should know as many as four or five words for 'job' now. Do you?

The text in exercise 1 contains four tenses. Show in your own work that you can use these tenses. It also contains a lot of unfamiliar vocabulary, but many of the words look like English. Choose five words or phrases you didn't know that you can use in your next speaking or writing task.

 Écoute l'interview avec Éva. Termine les phrases en anglais.

1 Éva works as a ▮▮▮▮.
2 In her opinion, it's her ▮▮▮▮ job.
3 She chooses the ▮▮▮▮ and the ▮▮▮▮.
4 To do her job well, she has to work in a team and needs to be ▮▮▮▮ and ▮▮▮▮.
5 She studied for ▮▮▮▮ at a fine-art school.
6 She is currently working for Adidas in ▮▮▮▮.
7 Before that, she worked in the USA and spent two years in ▮▮▮▮.
8 In the future, she would like to ▮▮▮▮.

 When you are listening, don't be put off if you don't understand every word. Listen out for words that sound like the English. The questions in Éva's interview break up what she says into manageable chunks and act as cues for you to listen out for the information you need.

 Fais correspondre le français et l'anglais.

1 Qu'est-ce que tu fais dans la vie?
2 En quoi consiste ton travail?
3 Quelles sont les qualités d'un bon/d'une bonne ...?
4 Tu as suivi quelle formation?
5 Que feras-tu à l'avenir?

a What training did you do?
b What do you do for a living?
c What does your work consist of?
d What will you do in the future?
e What are the qualities of a good ...?

 En tandem. Imagine que tu es Florence. Fais une interview. Utilise les questions de l'exercice 6.

Nom: Florence Lange
Métier: «Aiguilleuse du ciel»/Contrôleuse aérienne
Responsabilités: contrôler le trafic aérien, organiser la circulation, travailler en équipe, beaucoup de responsabilités
Qualités requises: il faut être calme, attentif, solide
Formation/Expérience: 4 ans d'études scientifiques, 2 ans à Bordeaux, 2 ans à Reims, actuellement à Paris
Avenir: travailler pour l'Armée de l'Air

 Écris une interview avec Alain.

Nom: Alain Saad
Métier: secrétaire médical
Responsabilités: répondre au téléphone, trier le courrier, organiser le temps du médecin
Qualités requises: il faut être calme et poli
Formation/Expérience: bac et formation de secrétaire médical
Avenir: continuer de travailler dans le cabinet d'un médecin généraliste

 There is no cue in the ID card for exercise 8 for the imperfect tense, but if you can show that you can use it in your interview, you will get more marks. Look back at the text in exercise 1 to see what Vincent says in the imperfect tense. Can you adapt it for your interview?

trier to sort

Bilan

Unité 1

I can

- ● talk about jobs: *Je veux être directrice de magasin …*
- ● give reasons for my choices: *… car ma passion, c'est la mode .*
- ☐ use the conditional: *Ce serait génial.*

Unité 2

I can

- ● understand why languages are important: *Si on parle une autre langue, on peut travailler dans un autre pays, on peut discuter avec les gens, et surtout, on peut rigoler avec eux.*
- ☐ use modal verbs: *Si on veut être diplomate, parler une autre langue, c'est essentiel, parce qu'on doit voyager.*

Unité 3

I can

- ● talk about what I used to be like: *J'étais bon(ne) élève.*
- ● say what I used to do when I was younger: *Quand j'étais plus jeune, je chantais tout le temps. J'adorais ça.*
- ☐ use the imperfect tense: *Quand j'étais plus jeune, j'adorais les sites Internet. Je surfais tout le temps.*

Unité 4

I can

- ● talk about my future: *Dans quatre ans, quand j'aurai dix-huit ans, je ferai des études à la fac.*
- ● use fillers when I am talking: *alors … voyons … euh … je ne sais pas … ah oui, c'est ça*
- ☐ use the future tense: *Dans deux ans, je quitterai le collège et je ferai un apprentissage dans un hôtel.*

Unité 5

I can

- ● understand someone talking about their job: *Quand on veut créer un jeu, d'abord, on a une réunion où chacun peut donner ses idées.*
- ☐ use different tenses together: *Être game designer, c'est très stimulant. Côté formation, j'ai fait mes études à l'ENJMIN. L'année prochaine, je ferai un stage aux États-Unis.*

1 Copie le tableau. Écoute et mets les activités dans la bonne colonne. (1–4)

1 Adnan **2** Malika **3** Gabriel **4** Clémentine

	past	present
1 *Adnan*		

 a

 b

 c

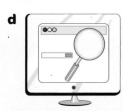 d

 e

 f

 g

 h

 2 En tandem. Prépare et donne une réponse à ces questions.

- Qu'est-ce que tu veux faire plus tard dans la vie?
- Quel genre d'élève étais-tu quand tu étais plus jeune?
- Que feras-tu à l'avenir?

 3 Lis l'interview avec Tom. C'est vrai (V) ou faux (F)?

> **Intervieweur:** Qu'est-ce que tu fais comme travail, Tom?
>
> **Tom:** Je suis journaliste depuis cinq ans.
>
> **Intervieweur:** Quelle est ta journée typique?
>
> **Tom:** Eh bien, je raconte une histoire avec des images, c'est un peu comme une bande dessinée! Hier, par exemple, le rédacteur en chef m'a donné un sujet et je suis parti interviewer quelqu'un avec ma caméra et mon micro. Je suis revenu, j'ai assemblé les images, j'ai écrit mon commentaire, et voilà, terminé!
>
> Demain, j'arriverai et le rédacteur me donnera mon sujet. Hop, c'est reparti. C'est très varié. J'adore ça.

1 Tom est journaliste depuis l'âge de cinq ans.
2 Il travaille à la radio.
3 Hier, il a préparé un reportage.
4 Demain, il ne travaillera pas.
5 Tom aime beaucoup son emploi.

 4 Tu es Jamel. Décris tes projets d'avenir en français.

> You're 14, in Year 9.
> When you were little, you liked animals.
> In four years, you'll leave school and go to university.
> You'll study biology.
> You'd like to travel, perhaps.
> You'll work in Europe (you went to Spain last year and it was great).
> In 10 years, you'll have children.
> In 20 years, you think you'll be very rich.

Écoute et lis le texte.

La passion de Declan, c'est le snowboard. Son père Mark est fan de ski, et quand Declan était petit, ils partaient ensemble en France pour s'amuser dans les Alpes car ils adoraient ça tous les deux. Declan était bon élève. Il a étudié le français au collège, mais il préférait l'EPS et l'informatique. Pourtant, il a passé son examen de français à l'âge de 16 ans et a eu un B.

Lorsqu'il avait 18 ans, Declan a décidé de devenir moniteur de ski. Il est donc parti à Val Thorens en Savoie, le plus haut village d'Europe. Son père était furieux parce qu'il pensait que son fils devait aller à l'université. Declan a fait les études nécessaires et puis a travaillé pendant trois saisons à Val Thorens.

En tant que moniteur de ski, il doit enseigner le ski à ses élèves. Il doit être très patient. En été, Declan travaille comme moniteur de VTT. Il aime bien ça, mais il préfère son travail d'hiver!

Il y a deux ans, Declan a décidé d'apprendre l'italien et il est parti à San Martino di Castrozza en Italie. Il a très vite appris la langue. Aujourd'hui, il la parle parfaitement parce qu'il a une petite amie italienne, Rossella.

Dans deux ans, Declan ira faire un stage au Canada et ensuite, il préparera un diplôme de management et de marketing en France. Son ambition, c'est de voir «Declan Armstrong, directeur d'école de ski» inscrit sur sa porte! Rossella n'aime pas trop l'idée de voir son petit ami partir au Canada, mais elle comprend son ambition.

Mark, le père de Declan, n'est plus en colère contre son fils et il lui rend visite dans les Alpes tous les ans. Ils rigolent bien ensemble sur les pistes.

> **en tant que** *as*

Mets ces titres dans l'ordre du texte.

a Réconciliation avec son père
b Une petite amie italienne
c Les études de Declan au collège
d Un stage en Italie
e Un stage au Canada
f Une dispute avec son père
g Declan travaille en France
h Les vacances en famille

You can use different techniques to help you understand more complex passages.
- *Use your knowledge of English to help you.*
- *Use the English questions (see exercise 3).*
- *Use common sense.*

Don't get bogged down by one word – move on and try to make sense of the whole passage.

Relis le texte et réponds aux questions en anglais.

Who …

1 preferred sport to French at school?

2 was angry when Declan became a ski instructor?

3 felt the need to learn Italian?

4 is unsure about Declan going to Canada?

5 wants to do a marketing and management diploma?

 En tandem. Prépare et fais une interview entre Declan et un reporter.

● *Qu'est-ce que tu fais dans la vie?*

■ *Je suis …*

● *Est-ce que tu as beaucoup d'expérience?*

■ *Oui, j'ai travaillé …*

● *Quelles sont tes responsabilités?*

■ *Je dois …*

● *Quelles sont les qualités requises pour ce métier?*

■ *Il faut être …*

● *Quelles langues parles-tu?*

■ *Je parle …*

● *Que feras-tu à l'avenir?*

■ *À l'avenir, j'irai …*

*Use the text in exercise 1 as a resource for exercise 4. Find verbs in the present, imperfect, perfect and future tenses which you can reuse. Think about how you will change them from **il** to **je**. If you are unsure, use the verb tables on pages 128–130 to check.*

Find some connectives and opinion phrases in the text that you can use in your own work.

 Écoute Olivia, qui est trader, et réponds aux questions en anglais.

1 How many people does Olivia work with?

2 What does she have on her desk?

3 Who does she have to contact?

4 What does she like about her work?

5 What happens if her results are good?

6 What does she say about maths?

Before you start listening, look at the task and the questions and think about the vocabulary you might hear. What does a trader do? What do you think her work is like? Make sure you are familiar with the questions, then listen and make notes. Use your common sense. For example, look at question 5. If Olivia's results are good, what will happen? Will she be punished for getting good results? Not very likely! What would your answer be?

Olivia: 30 ans, trader à Paris

 Invente un portrait comme celui de Declan. Fais des recherches sur un job ou utilise les idées suivantes.

 une fouille dig

Nom: Diana Tsamen

Emploi: archéologue

Ambitions quand elle était jeune: trouver des trésors

Responsabilités: aller sur des sites de fouilles, chercher des objets

Qualités requises: aimer travailler en équipe

Formation: après le bac, l'histoire à la fac, ensuite un Master en archéologie

Avenir: faire des fouilles en Amérique du Sud

Your challenge!

It really is my dream job!

You are a famous politician/chef/dancer/singer/lawyer/vet. (Choose one of these jobs or add your own choice.)

You are preparing for a podcast about your career path and experience. The interviewer has sent you the questions so you can prepare your answers in advance:

- What did you use to like to do when you were little?
- What is a typical day like?
- What qualities do you need for this job?
- What training did you undergo?
- What will you do in the future?

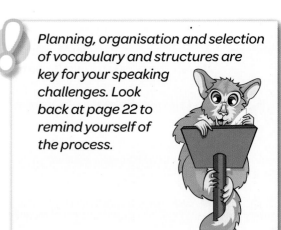

Planning, organisation and selection of vocabulary and structures are key for your speaking challenges. Look back at page 22 to remind yourself of the process.

1 **Unjumble the questions you'll be asked.**

1 aimais   petit(e)   que   tu   tu   étais   quand   faire   Qu'est-ce   ?

2 journée   Quelle   typique   ta   est   ?

3 pour   les   sont   Quelles   ce   requises   qualités   métier   ?

4 formation   quelle   suivi   as   Tu   ?

5 feras-tu   Que   l'avenir   à   ?

2 **Listen to Nicole. She is a surgeon. Which sentences could she use in her podcast? There are two 'red herrings'. (1–8)**

Example: **1** ✓

3 **Note down five activities you used to do when you were little.**

4 **Make a list of six things you do in a typical day in your job.**

Example: **1** Je me lève tôt.
         2 Je m'entraîne.

It's very important to work with what you already know. Don't try to say things that are too difficult in exercise 4. For example, a stuntman or woman would need to have a good breakfast. Can you remember how to say what you have for breakfast? He/She would eat healthily all day. What details could you include here?

Use reference materials to help you make your answer as personal as possible.

5 **Work in pairs. Find five adjectives in the snake on the right. Now come up with five more for your job. Write five sentences using your own adjectives.**

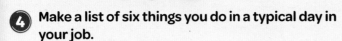

Pour faire ce métier, il faut être ...

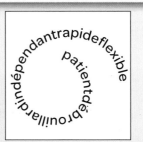

indépendant rapide flexible patient débrouillard

6 Decode these sentences in the future tense. Write three sentences of your own that you can use in your podcast.

1 .sinU-statÉ xua iari'j ,sna siort uo xued snaD

2 .doowylloH'd sruetca sel iarelbuod eJ

3 .nu'uqleuq ed esueruoma iarebmot eJ

4 .stnafne xued uo nu iarua'J

5 .eévirp eiv am te ellennoisseforp eiv am ertne erbiliuqé nob sèrt nu iarevuort eJ

7 Put the infinitives into the correct tense. The verb will always be in the same tense as the question!

Qu'est-ce que tu aimais faire quand tu étais petit?

Quand j' **1** (*être*) petit, j' **2** (*adorer*) la gymnastique. Je **3** (*faire*) tout le temps des acrobaties. Je **4** (*vouloir*) conduire des voitures de course. Je **5** (*regarder*) ça à la télé et c' **6** (*être*) passionnant. Je **7** (*rêver*) d'être cascadeur.

Quelle est ta journée typique?

Ça dépend. Tous les jours je **8** (*se lever*) tôt et je **9** (*bouger*)! Je **10** (*prendre*) mon petit déjeuner. Je **11** (*manger*) sain. Je **12** (*faire*) de l'escalade, ou bien je **13** (*faire*) de l'équitation ou des arts martiaux. Ça **14** (*dépendre*) de mon rôle. C'est très varié. Je **15** (*trouver*) ça génial.

Quelles sont les qualités requises pour ce métier?

Pour faire ce métier, il faut être en forme. Il faut être discipliné parce qu'on **16** (*devoir*) suivre des ordres. Il faut être à la fois indépendant et flexible.

Tu as suivi quelle formation?

Moi, j' **17** (*faire*) l'école du cirque, et ensuite, j' **18** (*suivre*) des cours d'art dramatique. Il n'y a pas vraiment de formation officielle.

Que feras-tu à l'avenir?

Dans deux ou trois ans, j' **19** (*aller*) en Angleterre. Je **20** (*travailler*) à Pinewood où je **21** (*doubler*) l'acteur qui joue James Bond.

8 Now listen to the model answer to check your tenses.

9 Look up some vocabulary that is specific to the job you have chosen.

Example:

	singer	vet
when little	*chanter tout le temps*	*adorer les animaux*
typical day	*je me lève tard* *je répète*	*je me lève tôt* *je vais dans mon cabinet*
qualities	*indépendant* *motivé*	*calme* *aimer le contact*
education		*bac S* *concours de vétérinaire*
future	*chanter avec Beyoncé*	*enseigner dans une école vétérinaire*

The key to achieving higher levels and speaking spontaneously is to use the structures you know to add variety. To refer to the future, for example, you now have various options:

- *the future tense: **j'aurai cinq enfants***
- *the near future tense: **je vais travailler dans un hôtel***
- ***je voudrais** + infinitive: **je voudrais gagner beaucoup d'argent***
- ***j'espère** + infinitive: **j'espère être riche**.*

bac S = baccalauréat scientifique
equivalent to A levels, specialising in sciences

10 Write out what you are going to say for the job challenge.

- Check what you have written is accurate and makes sense.
- Use the text in exercise 7 as a model but change the details to suit the job you have chosen.
- Use the vocabulary and phrases you've collected in the previous exercises.

You can write your answer out in full first, but then try to reduce your content to key headings with cues so that you are able to present your talk more naturally. Keep your full version to hand when you are practising. The more you practise, the less you will have to look at it. Good luck!

11 Now memorise your podcast and rehearse it!

Studio Grammaire

Modal verbs

Modal verbs are followed by the infinitive.

pouvoir	to be able to	*Tu peux venir?*	Can you come?
devoir	to have to	*Elle doit arriver à l'heure.*	She must arrive on time.
vouloir	to want to	*Il veut être cascadeur.*	He wants to be a stuntman.

1 Find the eight errors in this text, then write it out correctly.

> Si on veux vendre des produits, on doit d'abord les acheté. Ensuite, si on parle des langues étrangères, on peux vendre dans la langue du client. C'est un grand avantage. Dans mon travail, je doit écouter mes clients et je dois comprenez exactement ce qu'ils voulons. Je doivent aussi bien connaître mes produits si je veux réussi.

Future tense

You can use the future tense (or the near future – see page 27) to talk about the future. The future tense is formed using the future tense stem and the appropriate endings (see page 48).

À l'avenir, je voyagerai beaucoup.   In the future, I will travel a lot.

2 Match up the verbs to the correct person then translate them into English.

je	nous
tu	vous
il/elle/on	ils/elles

vendr**ons**	tomber**a**
manger**ont**	voyager**as**
discuter**ez**	travaill**erai**

3 Match up these irregular verbs to their future stems.

1 *avoir*	**3** *aller*	**5** *voir*	**a** ser–	**c** fer–	**e** aur–
2 *être*	**4** *faire*		**b** ir–	**d** verr–	

Question forms

- You can make your voice go up at the end to ask a question:

  Tu as beaucoup d'expérience?

- You can use *est-ce que*:
  Est-ce que tu as beaucoup d'expérience?

- You can use question words:
  Qu'est-ce que tu aimais faire quand tu étais petit(e)?

- You can use inversion:
  Que feras-tu à l'avenir?

- You can use *quel/quelle/quels/quelles*:
  Quelles sont les qualités requises pour ce métier?

4 Unjumble these questions, then write whether they are in the present (PR), the future (F) or the past (P) tense.

1 *basket aimais Est-ce tu le que ?*
2 *fais vie Qu'est-ce tu que la dans ?*
3 *Tu jours au tous les foot jouais ?*
4 *à feras-tu Que l'avenir ?*
5 *sont Quels passetemps tes ?*
6 *ta Quelle typique est journée ?*
7 *Est-ce l'université tu à iras que ?*
8 *formation Tu quelle as suivi ?*

Imperfect tense

The imperfect tense is used to describe what you used to do or what you used to be like.

To form the imperfect tense, take the *nous* form of the present tense, remove –*ons* and add the following endings:

~~nous allons~~

j'all**ais**   nous all**ions**
tu all**ais**   vous all**iez**
il/elle/on all**ait**   ils/elles all**aient**

être has an irregular stem: **ét–**
j'**ét**ais   I was

5 Write out the verb *travailler* in the imperfect tense.

6 Write the verbs in brackets in the imperfect tense. Then translate the sentences into English.
1 J'(aimer) le collège.
2 Tu (avoir) beaucoup d'amis?
3 Il (être) membre de beaucoup de clubs.
4 Elle (faire) ses devoirs.
5 Nous (aimer) beaucoup les maths.
6 Ils (faire) beaucoup de sport.
7 Vous (jouer) au volley ou au foot?
8 On (adorer) aller en ville.

7 Translate this short text into French. The infinitives of the verbs you will need are next to the text.

When I was little, I was a good pupil. I used to do my homework and I used to listen in class. I liked school a lot. It was great. I loved geography because I used to get good marks.

Colin

être	aimer
faire	adorer
écouter	avoir

Using three tenses together

8 Copy and complete this text using the appropriate tense of the verbs in brackets.

Quand j' ❶ (être) petit, j' ❷ (être) très timide. Je n' ❸ (avoir) pas beaucoup d'amis et je ❹ (jouer) seul. Maintenant, j' ❺ (avoir) quatorze ans. Je ne ❻ (être) plus timide et j'ai décidé que je ❼ (vouloir) être avocat.

Dans quatre ans, j' ❽ (aller) à la fac où je ❾ (faire) mon droit, et dans vingt ans, je ❿ (travailler) comme juge. J' ⓫ (habiter) dans un bel appartement à Paris. Ce ⓬ (être) difficile, mais je ⓭ (trouver) un bon équilibre entre ma vie professionnelle et ma vie privée.

Vocabulaire

Les emplois • *Jobs*

Qu'est-ce que tu veux faire plus tard?	*What do you want to do later?*
Je veux être ...	*I want to be a ...*
avocat(e)	*lawyer*
botaniste	*botanist*
chanteur/chanteuse	*singer*
chauffeur de taxi/camion	*taxi/lorry driver*
comptable	*accountant*
diplomate	*diplomat*
directeur/directrice de magasin	*store manager*
footballeur	*footballer*
guide touristique	*tourist guide*
infirmier/infirmière	*nurse*
ingénieur(e)	*engineer*
interprète	*interpreter*
journaliste	*journalist*
juge	*judge*
médecin généraliste	*doctor*
pilote	*pilot*
professeur	*teacher*
sociologue	*sociologist*
vétérinaire	*vet*
webdesigner	*web designer*

Le monde du travail • *The world of work*

acheter	*to buy*
aimer le contact avec les gens/les autres	*to like contact with other people/others*
discuter	*to discuss*
rencontrer	*to meet*
respecter	*to respect*
rigoler	*to have a laugh (informal)*
vendre	*to sell*
voir	*to see*
voyager	*to travel*

Le travail • *Work*

le boulot	*job (informal)*
l'emploi (m)	*job (more formal)*
le métier	*job/profession*
la profession	*profession*
un stage	*training course/work placement*
un poste	*post*
un candidat	*candidate*
créatif/créative	*creative*
varié(e)	*varied*

Les opinions • *Opinions*

C'est mon rêve!	*It's my dream!*
Ce serait bien.	*It would be good.*
Pas vraiment.	*Not really.*
Ce serait ennuyeux.	*It would be boring.*
Pourquoi pas?	*Why not?*
Tu rigoles!	*You're joking!*
Ça ne m'intéresse pas du tout.	*That doesn't interest me at all.*

L'importance des langues • *The importance of languages*

C'est un avantage.	*It's an advantage.*
C'est essentiel.	*It's essential.*
C'est un plus.	*It's a plus.*

Quand j'étais plus jeune • *When I was younger ...*

j'étais	*I was*
j'avais	*I used to have*
j'aimais	*I used to like*
je faisais	*I used to do*
je jouais	*I used to play*
je regardais	*I used to watch*
je n'aimais pas	*I didn't use to like*

À l'avenir • *In the future*

Je quitterai le collège.	*I will leave school.*
Je ferai un apprentissage.	*I will do an apprenticeship.*
Je ferai le tour du monde.	*I will go round the world.*
Je voyagerai.	*I will travel.*
je travaillerai	*I will work*
Je tomberai amoureux/ amoureuse de quelqu'un.	*I will fall in love with someone.*
j'habiterai	*I will live*
J'aurai une Ferrari.	*I will have a Ferrari.*
je serai	*I will be*

Des questions • *Questions*

Qu'est-ce que tu fais dans la vie?	*What do you do for a living?*
Est-ce que tu as beaucoup d'expérience?	*Do you have a lot of experience?*
Quelle est ta journée typique?	*What is your typical day like?*
Quelles sont tes responsabilités?	*What are your responsibilities?*
Quelles sont les qualités requises pour ce métier?	*What qualities are required for this profession?*
Quelles langues parles-tu?	*Which languages do you speak?*
Que feras-tu à l'avenir?	*What will you do in the future?*

Les mots essentiels • *High-frequency words*

car	*for*
comme	*as*
lorsque	*when*
par contre	*on the other hand*
par exemple	*for example*
puisque	*since/as*
si	*if*
surtout	*especially*

Être game designer • *Being a games designer*

communiquer	*to communicate*
coordonner	*to coordinate*
créer	*to create*
fonctionner	*to work/function*
inventer	*to invent*
savoir	*to know how to*
travailler en équipe	*to work in a team*
attentif/attentive	*attentive*
frustrant(e)	*frustrating*
motivant(e)	*motivating*
poli(e)	*polite*
rapide	*quick*
solide	*solid*
stimulant(e)	*stimulating*
Côté formation, ...	*As far as training is concerned, ...*
pour ma part	*for my part*
ma propre boîte	*my own company*

Stratégie 3

Using different tenses

You've learned another new tense in Module 3 – the imperfect. You can now vary the meaning of all the verbs you know like this:

- to say what you are doing now or usually do (present tense): *je travaille*
- to say what you did or have done (perfect tense): *j'ai travaillé*
- to say what you will do (future tense): *je travaillerai*
- to say what you used to do or were doing (imperfect tense): *je travaillais.*

How would you say 'I speak', 'I spoke', 'I will speak' and 'I was speaking'?

Do the same with more of the verbs on these pages. Watch out for the irregular verbs!

If you fancy staying somewhere a bit different for your holidays, France is the place to go. You can stay in a tree house, a teepee, a house on top of a chimney and even a human-sized hamster house, with a giant running wheel and a cage up by the ceiling that you can sleep in!

Which of these would you choose as your holiday accommodation?

Le Village Amérindien, **in Brûlon**

La Villa Cheminée, near Nantes

Tree houses at *le Domaine des Ormes,* **in Brittany**

La Villa Hamster, in Nantes

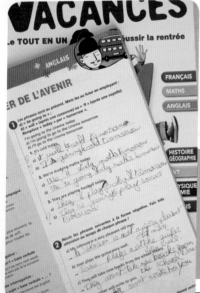

Cahiers de vacances (literally, 'holiday exercise books') are very popular in France. They are workbooks to help you catch up or get ahead with your studies over the school holidays. You can buy them in most newsagents and bookshops.

Most French people take their holidays in August – and most of them head for the west or the south of France, resulting in huge queues on the roads.

You often see signs like this one in French shops and restaurants in August.

What do you think it means?

FERMÉ POUR LES VACANCES

You can take some amazing holiday photos in France!

Here's a street entertainer in La Rochelle.

Question de vacances

- Discussing holidays
- Asking questions using inversion

1 Fais correspondre les questions et les réponses.

1 Où vas-tu en vacances?

2 Avec qui vas-tu en vacances?

3 Combien de temps y restes-tu?

4 Que fais-tu pendant les vacances?

5 Pourquoi aimes-tu ou n'aimes-tu pas ce style de vacances?

6 Où es-tu allé(e) en vacances l'année dernière?

7 Qu'est-ce que tu as fait?

a J'ai fait un stage de voile. C'était super!

b J'aime bien ça parce que j'adore le soleil.

c Je suis allé(e) à la Baule, en Bretagne.

d J'y reste quinze jours.

e En général, je vais au bord de la mer, en Bretagne.

f Je vais à la plage tous les jours. Je me fais bronzer et je me baigne dans la mer.

g J'y vais avec ma famille.

un stage de voile — a sailing course

2 Écoute et vérifie tes réponses.

Studio Grammaire ≫ *Page 92*

y means 'there'. It goes in front of the verb.

J'**y** vais avec ma famille.

3 Écoute et lis. Trouve l'équivalent des phrases en anglais dans le texte.

Tous les ans, en février, je pars en classe de neige, dans les Alpes. J'y vais avec mes copains de classe et j'y reste une semaine. Nous prenons des cours de ski et on fait aussi du snowboard. Je trouve ça génial parce que j'adore les sports d'hiver. D'habitude, on skie en France, mais l'année dernière, on est allés en Suisse.

 Blaise

Normalement, je vais en vacances à la campagne. J'y vais avec mes parents. Nous y passons un mois. Nous faisons du camping et des randonnées dans la forêt. C'est ennuyeux pour moi parce qu'il n'y a pas grand-chose à faire. Pourtant, l'année dernière, j'ai rencontré un garçon sympa et on est devenus bons amis.

 Laëtitia

Chaque été, je pars en colo. J'y vais avec mon frère. On y reste dix jours. On fait toutes sortes d'activités: par exemple, du VTT, de l'équitation et du canoë-kayak. J'aime ça parce que je préfère les vacances actives. L'année dernière, je suis allé en colo en Alsace où j'ai fait de l'escalade. C'était top!

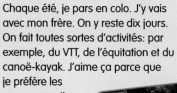 Manu

la classe de neige — ski school
en colo (= en colonie de vacances) — to a children's holiday camp

1 I go with my classmates ...

2 We take skiing lessons ...

3 ... we went to Switzerland.

4 ... I go on holiday to the countryside.

5 We spend a month there.

6 We go camping and hiking in the forest.

7 ... there's not much to do.

8 ... we became good friends.

9 Every summer, I go to a holiday camp.

10 ... I went climbing.

4 En tandem. Interviewe une personne de l'exercice 3. Utilise les questions de l'exercice 1.

Exemple:

● *Laëtitia, où vas-tu en vacances?*

■ *Normalement, je vais en vacances à la campagne.*

● *Avec qui ...?*

Page 92

Studio Grammaire

When asking questions using question words, you can:

- put the question word first and invert the subject and the verb:

  Où vas-tu en vacances?

  Où iras-tu l'année prochaine?

  In the perfect tense, you invert the subject and the part of *avoir* or *être*:

  Où es-tu allé(e) en vacances?

- put the question word first followed by **est-ce-que**:

  Où est-ce que tu vas en vacances?

If you use *que* instead of *qu'est-ce que*, you need to invert the verb:

Qu'est-ce que tu fais en vacances? → **Que** fais-tu en vacances?

5 Écoute. Copie le tableau et note les renseignements. (1–2)

	où?	l'année dernière	avec qui?	combien de temps?	activités?	opinion et raison?	l'année prochaine
1	bord de la mer, ...						

faire du ski nautique   *to go water skiing*

6 En tandem. Fais trois interviews. Complète les questions et utilise les images ou tes propres idées.

- Où ...?

- Avec qui ...?

- Combien de temps ...?

- Que ...?

- Pourquoi ...?

7 Imagine que tu es une célébrité. Écris un paragraphe sur tes vacances.

Include:

- where you go on holiday and when
- who you go with
- how long you stay
- what activities you do on holiday
- why you like or dislike this kind of holiday
- where you went last year and what you did.

> *Raise your game! Include an example of the future tense.*
>
> **L'année prochaine, j'irai/ je ferai ...**

> To reach a higher level, include a question about the past and/or the future.

1 Trouve la bonne photo pour chaque texte.

Aimes-tu les sensations fortes ou cherches-tu la tranquillité? Comment aimerais-tu passer tes vacances de rêve?

1 J'adore les animaux sauvages, alors je voudrais faire un safari en Afrique et surtout voir les gorilles en liberté, au Congo. **Jamel**

2 Je viens d'une grande famille et c'est pénible! J'aimerais passer des vacances toute seule sur une île déserte. Ce serait génial de pouvoir bouquiner en toute tranquillité! **Mathilde**

3 Moi, je voudrais essayer des sports extrêmes, comme la chute libre ou le parapente. Ce serait trop cool de voler comme un oiseau, non? Mon frère aîné a déjà fait du parapente et il a trouvé ça super. **Thibault**

4 L'année dernière, j'ai fait un stage de plongée sous-marine, alors j'aimerais beaucoup faire de la plongée aux Antilles. Ce serait fantastique de voir des poissons tropicaux et du corail de toutes les couleurs. **Yanis**

5 Moi, je voudrais traverser le Sahara à dos de chameau ou descendre l'Amazone en canoë. Ce serait une aventure inoubliable. Ah oui, c'est un rêve, mais tu verras: je le ferai un jour! **Axelle**

A

B

C

D

E

bouquiner (= lire)	to read
la chute libre	sky diving
le parapente	paragliding
voler	to fly

2 Écoute. Note la lettre de la bonne photo de l'exercice 1. Note aussi si la réaction est positive 🙂 ou négative 🙁. (1–5)

Exemple: **1** A 🙁

3 En tandem. Discute avec ton/ta camarade. Utilise les phrases de l'exercice 1.

Exemple:

● *Comment voudrais-tu passer tes vacances de rêve?*

▪ *Un jour, j'aimerais … Et toi, tu voudrais faire ça, aussi?*

● *Ah oui, … / Ah non, … Moi, je voudrais …*

Studio Grammaire ≫ Page 93

You use the conditional to say 'would'. To form the conditional, take the future tense stem (e.g. **aimer–** or **voudr–**) and add the imperfect tense endings:

j'aimer**ais**	nous aimer**ions**
tu aimer**ais**	vous aimer**iez**
il/elle/on aimer**ait**	ils/elles aimer**aient**

The future and conditional stem of *être* is **ser–**.

*Ce **serait** génial.* It would be great.

Je voudrais J'aimerais	descendre … essayer … faire … passer … traverser … voir …
Je ne voudrais pas Je n'aimerais pas	faire ça.

🙂	🙁
Oua-a-a-is! Cool! Bonne idée! Ce serait fantastique/ génial/super/sympa/ top/trop cool.	Quelle horreur! Tu rigoles! Ce serait trop ennuyeux/ dangereux/tranquille pour moi. Ce n'est pas mon truc.

4 Écris un court paragraphe. Utilise les conseils suivants.

- Write about what you would <u>and</u> wouldn't like to do.
- Adapt what you've learned. Use language you already know, or look words up in a dictionary, e.g. *Un jour, je voudrais essayer des sports nautiques, par exemple le jet-ski ...*
- Include opinions and reasons, e.g. *parce que ce serait ...*

5 Lis le quiz. Cherche les mots inconnus dans le dictionnaire.

> **T'es courageux/courageuse? Ou t'es plutôt peureux/peureuse? Fais notre test pour le savoir!**

Oserais-tu ...

1 passer la nuit tout(e) seul(e) sous une tente dans la forêt?

A Pourquoi pas? Ce serait amusant.   **B** Tu rigoles!

 4 OSOMÈTRE   0 OSOMÈTRE

2 descendre la plus haute montagne russe du monde?

A Cool! On y va tout de suite?   **B** J'aurais le vertige!

 3 OSOMÈTRE   0 OSOMÈTRE

3 faire de la plongée dans une mer pleine de requins?

A Pas de problème!   **B** Non mais, t'es malade ou quoi?!

 5 OSOMÈTRE   0 OSOMÈTRE

4 passer des vacances dans un château hanté?

A Ce serait marrant.   **B** Jamais!

 3 OSOMÈTRE   0 OSOMÈTRE

5 faire de la randonnée dans une jungle habitée par des serpents et des araignées venimeux?

A Ah, oui, j'adore les animaux sauvages.   **B** J'aurais trop peur.

 4 OSOMÈTRE   0 OSOMÈTRE

6 suivre un cours de survie où il faut manger des insectes?

A Miam-miam! Ce serait délicieux!   **B** Beurk! Quelle horreur!

 5 OSOMÈTRE   0 OSOMÈTRE

oser	to dare
la montagne russe	rollercoaster
j'aurais (= conditional of **avoir**)	I would have
avoir peur	to be scared

6 En tandem. Fais le quiz avec ton/ta camarade.

Exemple:

- ● *Numéro un. Oserais-tu passer la nuit tout(e) seul(e) sous une tente dans la forêt?*
- ■ *Pour moi, c'est A: Pourquoi pas? Ce serait amusant. Quatre points.*
- ● *Pour moi, c'est B: Tu rigoles! Zéro points.*

7 Calcule ton score et lis les résultats. Tu es d'accord ou pas d'accord avec ça?

Résultats

0–8 points	9–16 points	17–24 points
T'es plutôt peureux/peureuse! Mais tu vivras probablement longtemps!	T'as pas mal de courage, mais tu connais tes limites.	Tu aimes prendre des risques. Mais attention à ne pas te mettre en danger!

3 C'est indispensable!

○ *Talking about what you take with you on holiday*

○ *Using reflexive verbs*

 Écoute et lis. Regarde les photos et trouve le vocabulaire dans les textes (A–M). (1–3)

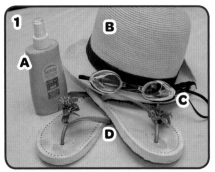

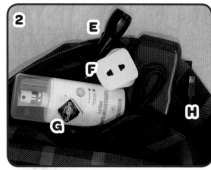

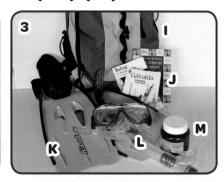

1 Normalement, nous louons une villa avec piscine en Grèce. Je me baigne tous les jours dans la piscine, donc je prends **des lunettes de plongée**. Après, je me fais bronzer, alors je prends aussi de **la crème solaire**. Mais je n'oublie pas de mettre **un chapeau de paille** et **des tongs** pour me protéger la tête et les pieds, parce qu'il fait très chaud, là-bas. *Julie*

2 Chaque année, nous allons faire du camping en Écosse. Pendant le voyage, je m'amuse avec mon mp3, alors je prends **un chargeur** pour ça. Je prends aussi **un adaptateur**, parce que les prises de courant sont différentes, là-bas. À part ça, je prends **une lampe de poche** et, cette année, je prendrai **une bombe anti-insectes**, car je me fais toujours piquer! *Baptiste*

3 Cette année, nous partirons en vacances sur la Côte d'Azur. Nous irons tous les jours à la plage, donc je prendrai **un sac à dos** pour mes affaires et **plein de bouquins**, parce que je m'ennuie facilement. J'aime faire de la plongée, donc je prendrai **un tuba** et **des palmes**. Après la plongée, je me douche et je me coiffe, alors je prends toujours **du gel coiffant**. *Noah*

 Trouve la bonne phrase pour chaque image.

Exemple: **A** je me douche

Studio Grammaire ≫ *Page 93*

Reflexive verbs include a reflexive pronoun (*me, te, se,* etc.). They are often used for actions you do to yourself.

se coiffer (to do your hair)
je **me** coiff**e**
tu **te** coiff**es**
il/elle/on **se** coiff**e**
nous **nous** coiff**ons**
vous **vous** coiff**ez**
ils/elles **se** coiff**ent**

s'ennuyer (to get bored) is irregular:
je **m'**ennu**ie**
tu **t'**ennu**ies**
il/elle/on **s'**ennu**ie**
nous **nous** ennu**yons**
vous **vous** ennu**yez**
ils/elles **s'**ennu**ient**

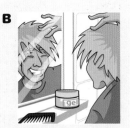

je me baigne | je me coiffe | je me douche | je me fais bronzer | je me fais piquer | je m'amuse | je m'ennuie

3 En tandem. Jeu de mémoire. Fais une liste aussi longue que possible!

Exemple:

● *Quand je pars en vacances, je prends toujours du gel coiffant.*

■ *Quand je pars en vacances, je prends toujours du gel coiffant et une bombe anti-insectes.*

● *Quand je pars en vacances, je prends toujours du gel coiffant, une bombe anti-insectes et …*

4 Écoute et note (1) la lettre de l'activité de l'exercice 2 et (2) l'objet essentiel. (1–6)

Exemple: **1** G bouquins

5 Copie et complète les phrases. Utilise tes propres idées.

Exemple: **1** Je me baigne tous les jours, alors je prendrai avec moi des lunettes de plongée.

1 Je me baigne tous les jours, alors je prendrai avec moi …

2 Après, je me douche et je me coiffe, donc je prends toujours …

3 Tous les jours, je me fais bronzer sur la plage, alors j'ai pris …

4 Je me fais toujours piquer par des moustiques …

5 Pendant le voyage, je m'amuse avec ma PlayStation portable …

6 Je m'ennuie souvent en vacances …

6 Choisis une des destinations suivantes. Imagine que tu y vas tous les ans. Qu'est-ce que tu prends et pourquoi? Fais un mini-exposé oral.

Exemple:

● *Tous les ans, je passe mes vacances sur une île déserte. Je me baigne souvent dans la mer, alors je prends toujours …*

> sur une île déserte
>
> dans la jungle amazonienne
>
> dans le désert du Sahara
>
> au pôle Nord

> Include some different holiday items. Look them up in a dictionary. To make sure you've chosen the right word, check it at the French–English end of the dictionary and look at any examples given.

7 Lis le texte et réponds aux questions en anglais.

Normalement, nous allons en vacances au bord de la mer. Mon frère et moi aimons jouer au beach volley, alors on prend un grand tube de crème solaire, parce que l'année dernière, j'ai pris un coup de soleil. J'étais rouge comme une tomate! On se baigne aussi dans la mer, alors bien sûr, je prends mon maillot de bain, une serviette et mes tongs (parce qu'il est très chaud, le sable!). Vers six heures, on rentre à l'hôtel, on se douche et on se repose un peu, puis on sort manger au restaurant. En vacances, j'ai le droit de me coucher tard, vers onze heures et demie du soir.

Mais cette année, on n'ira pas à la mer: on a décidé de faire du camping à la montagne, au pays de Galles. On ira là-bas en voiture, donc je prendrai ma PlayStation portable parce que le voyage dure environ dix heures et je m'ennuie facilement. Maman dit qu'il y a quelquefois des moucherons là-bas en été et j'ai horreur de ça, parce que je me fais souvent piquer, alors on prendra une grosse bombe anti-insectes. Maman dit aussi qu'il ne fait pas toujours beau à la montagne en août: il peut y avoir du vent, alors mon frère prendra son gel coiffant, parce que même en vacances, il se fait une belle crête! En plus, il prendra un adaptateur, parce que son sèche-cheveux lui est indispensable et les prises de courant sont différentes, là-bas!

Lucie

1 What happened to Lucie last year?

2 What four things does she take when they go to the beach?

3 At what time does she go to bed on holiday?

4 Where are they going to go this year?

5 How long does the journey last?

6 What three things will her brother take with him and why?

> **des moucherons**   midges

4 Mes vidéos de vacances

- Describing what happened on holiday
- Combining different tenses

1 Écoute et lis. Qui parle? (1–3)

Mes vacances désastreuses

Quand je suis en vacances, je me fais toujours bronzer sur la plage. Mais l'année dernière, je suis restée trop longtemps au soleil et j'ai pris un coup de soleil. C'était horrible. La prochaine fois, je mettrai plus de crème solaire!

Romane

Normalement, quand on fait du camping, il fait beau. Mais cette année, il a plu tout le temps et l'eau est entrée dans la tente! Quelle horreur! L'année prochaine, c'est décidé: on logera à l'hôtel.

Samuel

Tous les ans en vacances, je joue au beach volley. Mais cette année, j'ai fait un stage de planche à voile. C'était très difficile et je suis tombée à l'eau au moins cent fois! Alors, la prochaine fois, je choisirai un sport plus facile, comme le tennis.

Yasmina

Studio Grammaire

Page 94

The following verbs have irregular past participles:

être (to be) → *j'ai été* (I was)

faire (to do/make) → *j'ai fait* (I did/made)

mettre (to put/put on) → *j'ai mis* (I put/put on)

prendre (to take) → *j'ai pris* (I took)

The following verbs take *être* in the perfect tense:

entrer (to come in/go in), *rester* (to stay), *tomber* (to fall).

The past participle of *être* verbs must agree with the subject.

2 Relis les textes et complète le tableau en anglais.

1 Romane **2** Samuel **3** Yasmina

	usually/ always	this year/ last year	next time/ next year
1 Romane	sunbathes on beach		

Get into the habit of listing and learning key verbs in all the main tenses. For example:

infinitive	**aller** (to go)
present tense	**je vais**
perfect tense	**je suis allé(e)**
imperfect	**j'allais**
future tense	**j'irai**
near future	**je vais aller**

3 Écoute et choisis la bonne réponse. (1–4)

1 a Normalement, Rémi va en vacances en Angleterre/Espagne.

b Cette année, il a plu/il a fait beau.

c L'année prochaine, il ira en Espagne/Angleterre.

2 a Quand Léa va en vacances, elle se baigne dans la mer/se fait bronzer.

b Un jour, elle est tombée à l'eau/est restée trop longtemps au soleil.

c La prochaine fois, elle mettra un chapeau/des tongs.

3 a D'habitude, la famille d'Arthur mange à l'hôtel/en ville.

b Le poisson était délicieux/n'était pas bon.

c L'année prochaine, ils mangeront une pizza/à l'hôtel.

4 a Cette année, Sophie a fait un stage de ski nautique/planche à voile.

b Son père a tout filmé avec son portable/son caméscope.

c La prochaine fois, elle restera à la maison/sur la plage.

 4 En tandem. Fais un dialogue. Utilise les images et les phrases suivantes.

Exemple:

● *Salut! T'as passé de bonnes vacances?*

▪ *Non, pas trop./Pas vraiment. C'était ...*

● *Ah bon? Pourquoi?*

▪ *Normalement, ... Mais cette année, ...*

● *Quelle horreur!/C'est dommage./C'est pas drôle, ça.*

▪ *La prochaine fois, ...*

J'ai été malade.	I was ill.
On a tous été malades.	We were all ill.
J'ai vomi toute la nuit.	I was sick all night.

Normalement / D'habitude	Cette année / Cette fois	L'année prochaine / La prochaine fois

 5 Lis et complète le texte avec les verbes dans les cases.

As-tu des vidéos de vacances marrantes? Envoie-nous une vidéo et raconte-nous l'histoire!

L'année dernière, je ❶ ▇▇ en vacances en Grèce avec ma famille. Normalement, nous allons à la plage, on se fait bronzer et on ❷ ▇▇ un peu. Mais un jour, on a décidé de louer un bateau et de faire un petit tour dans la baie. Mon père adore prendre des photos et les vues étaient magnifiques. Alors, il s'est levé pour prendre une photo, mais il a perdu l'équilibre et il ❸ ▇▇ à l'eau. C'était marrant et tout le monde a rigolé ... sauf mon père! J'ai tout filmé sur mon portable et après, j' ❹ ▇▇ la vidéo sur YouTube! Papa n'était pas content. Il a dit que l'année prochaine, il ❺ ▇▇ sur la plage et lira son bouquin!

Manon

D'habitude, je ❻ ▇▇ mes vacances en France, mais cette année, ma famille et moi sommes allés à Gibraltar où il y a beaucoup de singes. Un jour, on ❼ ▇▇ un piquenique et un groupe de singes est arrivé et a demandé quelque chose à manger. Ils ont mangé des fruits et un peu de fromage. Puis un des singes a saisi le chapeau de paille de ma sœur et il ❽ ▇▇ le chapeau sur sa tête! C'était très drôle. J' ❾ ▇▇ le caméscope et j'ai filmé une bonne vidéo! Ma sœur a dit que la prochaine fois, elle ❿ ▇▇ au restaurant!

Dimitri

(a fait) (restera) (a mis) (est tombé) (ai posté)

(mangera) (passe) (ai pris) (suis allée) (se baigne)

perdre l'équilibre	to lose one's balance
un singe	monkey/ape
saisir	to seize/grab

 6 Écris un résumé des textes de l'exercice 5 en anglais. Utilise 70 mots au maximum.

7 Écris l'histoire d'un incident amusant ou désastreux en vacances.

- Tell a real or an imaginary story.
- What will you put at the beginning? What next? What would make a good ending?
- Adapt phrases you have already learned. Look up new words in a dictionary.
- Link your sentences and paragraphs with connectives and time expressions.
- Include an opinion or an exclamation.
- Check what you have written for accuracy and redraft it if necessary.

5 À la base de loisirs

○ Visiting a tourist attraction
○ Using emphatic pronouns

1 Lis le texte. Utilise un dictionnaire et note le nouveau vocabulaire.

2 Écoute. Thomas et sa famille ont fait quelles activités? Complète le tableau en français.

Exemple:

toute la famille	canoë, ...
Thomas	
père	
mère	
sœur	
petit frère	

3 Écoute à nouveau. Note les opinions sur chaque activité et les raisons.

Exemple: canoeing – funny – sister fell in the water

To reach a higher level, you need to recognise people's points of view, e.g. their reasons for liking or disliking the activities mentioned.

La **Base de loisirs de Jonzac**

Des activités pour tous!

Spécial Passeport Loisirs Découverte
enfant & adulte

PRATIQUE !
En juillet et août
le PASSEPORT :
4 activités à prix forfaitaire
& de multiples avantages

Parc Floral

EN VENTE 7/7 jours en juillet et août à :
l'Office de Tourisme de Jonzac - 05 46 48 49 29
et à la Base de Loisirs - 05 46 48 14 07

Espace pitchoun
Parcours acrobatique en hauteur
Escalade
Tir à l'arc
Mini-navires
Voile
Planches à voile
Pédalos - Canoës
Kayaks - Barques
(LOCATION)
Trampolines
Structures gonflables
Baignade
Skate
Pêche
Boulodrome
Circuits de promenades pédestres, équestres, VTT
Centre équestre

4 En tandem. Imagine que tu as visité la Base de Loisirs de Jonzac avec ta famille. Ton/Ta camarade pose des questions.

● Où es-tu allé(e), quand et avec qui?
● Qu'est-ce que vous avez fait comme activités?
● C'était comment?
● Est-ce que tu voudrais y retourner?
● Quelles activités voudrais-tu faire, la prochaine fois?

Improvise – work without a script.

Take the initiative – ask your partner some questions back.

React to one another's answers, e.g. give an opinion or make a comment.

Explain what you mean, e.g. **le centre équestre: c'est un centre où on peut ...**

Studio Grammaire

Page 95

You use emphatic pronouns (*moi, toi, lui,* etc.) to emphasise the subject pronoun (*je, tu, il,* etc.) that you are talking about.

Moi, j'ai fait de la voile, mais mon frère, **lui**, il est allé à la pêche.

subject pronoun	*je*	*tu*	*il*	*elle*	*on*	*nous*	*vous*	*ils*	*elles*
emphatic pronoun	*moi*	*toi*	*lui*	*elle*	*nous*	*nous*	*vous*	*eux*	*elles*

Include some emphatic pronouns in your answers to exercises 4 and 6.

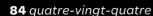

Lis le texte. Puis trouve les trois phrases qui sont vraies.

Salut, Nadia!

Alors, tu iras à la Base de Loisirs de Jonzac avec ta famille cet été? Tu vas t'amuser! Si tu y vas en juillet ou en août, je te recommande d'acheter un «Passeport». Tu peux en acheter un soit à la Base de Loisirs, soit à l'Office de Tourisme au château. Avec le Passeport, tu peux faire quatre activités à prix réduit!

Si, comme moi, tu aimes te baigner, tu auras une réduction sur l'entrée à la grande piscine «Les Antilles de Jonzac» qui est vraiment super. Si ça t'intéresse, tu auras aussi une réduction sur un vol en montgolfière! Je l'ai fait l'année dernière et c'était une expérience inoubliable. En plus, tu peux faire un vol en avion, mais je me sens toujours malade en avion, alors je ne l'ai pas fait!

À part ça, avec le Passeport, tu auras une réduction sur des randonnées équestres, mais ce n'est pas trop mon truc, puisque je suis allergique aux poils d'animaux. Et finalement, si tu t'intéresses à l'histoire, il y a un moulin à vent et un moulin à eau que tu peux visiter à prix réduit. J'y suis allée avec mes parents. Eux, ils ont aimé ça, mais à mon avis, c'est seulement pour les vieux!

Alors, amuse-toi bien à la Base de Loisirs! Je voudrais bien y retourner l'année prochaine pour faire de l'escalade, parce que je n'en ai jamais fait.

Clémence

1 Clémence pense que le «Passeport» est une bonne idée.
2 Clémence aime se baigner.
3 Elle n'a pas aimé le vol en montgolfière.
4 Elle aime faire de l'équitation.
5 Elle a trouvé le moulin à vent et le moulin à eau intéressants.
6 Elle aimerait retourner à la base de loisirs.

un moulin à vent

une montgolfière

soit ... soit either ... or

Écris une description de ta visite imaginaire à la Base de Loisirs de Jonzac.

Exemple:

Pendant les grandes vacances, je suis allé(e) ... avec ...

D'abord, on ... Ensuite, ... Puis, moi, ...

C'était/J'ai trouvé ça ...

Mais mon père/mon (petit) frère, lui, il ...

Ma mère/Ma sœur, elle ...

Mes parents, eux, ils ont ...

La prochaine fois, je voudrais/
    j'aimerais ...

	du	canoë/skate/tir à l'arc/trampoline/VTT
faire	de la	voile/planche à voile/baignade
	de l'	équitation/escalade
		un parcours acrobatique/une balade en barque
jouer		aux boules/sur des structures gonflables
aller		à la pêche
louer		un mini-navire/un pédalo

Bilan

Unité 1

I can

- ● say where I go or went on holiday: *Normalement, je vais au bord de la mer.*
  L'année dernière, nous sommes allés en Bretagne.
- ● give details about holidays: *J'y vais avec ma famille.*
  Cette année, je ferai un stage de voile.
- ● give opinions and reasons: *J'aime bien ça parce que j'adore le soleil.*
- ☐ ask questions using inversion: *Où vas-tu en vacances?*
  Que fais-tu pendant les vacances?
- ☐ use the pronoun *y*: *Combien de temps y restes-tu?*

Unité 2

I can

- ● describe what I'd like to do: *Un jour, je voudrais essayer des sports extrêmes.*
- ● give reactions to what people say: *Bonne idée!*
  Ce serait trop dangereux pour moi.
- ☐ use the conditional: *J'aimerais faire un safari. Ce serait génial.*

Unité 3

I can

- ● say what I do on holiday: *Je me baigne dans la mer.*
- ● say what I take or will take with me: *Je prends/prendrai plein de bouquins.*
- ☐ use reflexive verbs: *je me fais piquer, il se coiffe, on s'amuse*

Unité 4

I can

- ● describe what happened: *Il a plu tout le temps.*
- ☐ use the perfect tense of irregular verbs: *J'ai été malade. On a fait du ski nautique.*
- ☐ use the perfect tense with *être*: *Je suis resté(e) au soleil.*
- ☐ use *quel* in exclamations: *Quel idiot! Quelle horreur!*
- ☐ combine different tenses: *Normalement, je vais en Espagne, mais l'année dernière, j'ai fait du camping en Alsace. La prochaine fois, je prendrai une bombe anti-insectes.*

Unité 5

I can

- ● describe a visit to a tourist attraction: *D'abord, on a loué des pédalos; ensuite, moi, j'ai fait de l'escalade.*
- ☐ use emphatic pronouns: *Moi, j'ai fait du tir à l'arc, mais mon père n'aime pas ça, alors, lui, il a joué aux boules.*

Révisions

Écoute. On parle de quelle activité? Quelle est la réaction? Complète le tableau. (1–5)

A  B  C  D  E

Exemple:

	activité	réaction positive ✓ ou négative ✗?
1	C	✗

En tandem. Interviewe ton/ta camarade au sujet des vacances. Utilise les questions suivantes.

● *Où vas-tu en vacances?*
● *Avec qui vas-tu en vacances?*
● *Combien de temps y restes-tu?*
● *Que fais-tu pendant les vacances?*
● *Pourquoi aimes-tu ou n'aimes-tu pas ce style de vacances?*
● *Où-es tu allée en vacances l'année dernière?*
● *Qu'est-ce que tu as fait?*

 To aim for a higher level, include a question about the future.

Lis le texte et complète les phrases en anglais.

Normalement, ma famille et moi, nous partons en vacances en Bretagne où nous faisons du camping. J'aime bien ça parce que mon père et moi allons à la pêche tous les jours.

Mais l'année dernière, ma mère a gagné un concours de vacances et on a passé quinze jours en Guadeloupe. C'était un désastre total! Bien sûr, il a fait très beau et on est allés à la plage tous les jours. Mais ma sœur est restée trop longtemps au soleil et elle a pris un coup de soleil terrible. Puis mon père a décidé d'essayer le ski nautique, mais il est tombé et il s'est cassé la jambe. Et finalement, moi, j'ai mangé du poisson au restaurant et j'ai été malade toute la nuit.

Alors, la prochaine fois, on restera en France, on prendra plein de crème solaire, on ira à la pêche et on mangera du poulet-frites!

Louis

1 Usually, Louis and his family ...
2 Every day, he and his father ...
3 Last year, they went ...
4 Louis's sister ...
5 His father broke his leg when ...
6 Louis got sick because ...
7 Next year, three of the things they will do are ...

Décris des vacances désastreuses. Adapte le texte de Louis. Utilise les renseignements suivants.

Usually – Spain – swim in sea

Next year – Spain – stay on beach – bring insect repellent – eat at hotel

Last year – Greece – you tried windsurfing, fell into water – mother went hiking, got stung – father ate burger and was ill

Écoute et lis le texte. Il s'agit de quoi?

Listen and read the text. What's it about?

Et si on passait les vacances au collège?

Tu t'ennuies un peu pendant les vacances scolaires? En France, beaucoup de collèges restent ouverts … même pendant les grandes vacances. Au lieu des cours traditionnels, les profs proposent un programme d'activités gratuites aux élèves qui ne partent pas en vacances.

Mais pas question de rester assis devant le tableau! Par exemple, dans certains collèges, on peut faire un stage avec des pilotes d'avion, visiter les studios d'une chaîne de télévision, suivre un cours de survie ou même enregistrer une chanson avec l'aide de musiciens professionnels! Et à part tout cela, on fait aussi quelques révisions pour la rentrée.

Éloïse, 15 ans, a surtout apprécié «d'être avec d'autres jeunes et d'apprendre plein de choses». Quant à Najim, 14 ans, il a dit: «J'ai beaucoup aimé apprendre de nouvelles choses, au lieu de rester chez moi à m'ennuyer.». Qui a dit que ce n'était pas intéressant, le collège?

Lis et complète la traduction sans utiliser de dictionnaire. Devine!

1 Au lieu des cours traditionnels, les profs proposent un programme d'activités gratuites aux élèves qui ne partent pas en vacances.
Instead of traditional lessons, the teachers offer a programme of ▆▆ activities to ▆▆ who don't go away on holiday.

2 Dans certains collèges, on peut faire un stage avec des pilotes d'avion, visiter les studios d'une chaîne de télévision, …
In some schools, you can do a ▆▆ with aeroplane pilots, visit the studios of a TV ▆▆, …

3 … suivre un cours de survie ou même enregistrer une chanson avec l'aide de musiciens professionnels!
… go on a ▆▆ course or even ▆▆ a song with the help of professional musicians!

4 Et à part tout cela, on fait aussi quelques révisions pour la rentrée.
And as well as all that, you also do some revision for the ▆▆.

5 Éloïse, 15 ans, a surtout apprécié «d'être avec d'autres jeunes et d'apprendre plein de choses».
Éloïse, 15, ▆▆ appreciated "being with other young people and ▆▆ loads of things".

6 Quant à Najim, 14 ans, il a dit : «J'ai beaucoup aimé apprendre de nouvelles choses, au lieu de rester chez moi à m'ennuyer.»
As for Najim, 14, he said he really liked "learning ▆▆ things, instead of staying at home, ▆▆ ".

Vérifie tes réponses à l'exercice 2 dans un dictionnaire.

 En tandem. Une personne est Éloïse ou Najim. L'autre personne pose les questions.

- *Les collèges restent ouverts pendant quelles vacances?*
- *C'est pour quels élèves?*
- *C'est gratuit, ou il faut payer?*
- *Quel genre d'activités peut-on faire?*
- *Alors, on s'amuse mais on ne travaille pas sérieusement?*
- *Pourquoi as-tu aimé ça?*

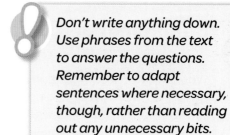

Don't write anything down. Use phrases from the text to answer the questions. Remember to adapt sentences where necessary, though, rather than reading out any unnecessary bits.

 Écoute. On parle de l'article de l'exercice 1. Pour chaque personne, note si son opinion est positive (P) ou négative (N). (1–6)

 Écoute à nouveau. Tu entends les phrases suivantes dans quel ordre? Écris les lettres dans le bon ordre.

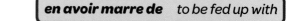
| **en avoir marre de** | to be fed up with |

a C'est une bonne chose parce que c'est gratuit.

b Je m'ennuie pendant les grandes vacances.

c Ça ne m'intéresse pas du tout.

d À mon avis, c'est une bonne idée.

e Moi, je n'aimerais pas faire ça.

f Je pense que c'est ridicule, comme idée!

g C'est une bonne chose pour les élèves qui ne partent pas en vacances.

h Je préfère rester chez moi.

i À la fin de l'année scolaire, j'en ai marre du collège.

 En tandem. Imagine une dispute avec ton/ta camarade au sujet des «collèges ouverts». Utilise les phrases de l'exercice 6.

Exemple:

- *Quelle est ton opinion sur les collèges qui restent ouverts pendant les vacances?*
- ■ *À mon avis, c'est une bonne idée, parce que je m'ennuie pendant les vacances. Tu es d'accord?*
- *Non, je ne suis pas d'accord! Je pense que …*
- ■ *Oui, mais …*

Back up your opinion with reasons. Use phrases you know or that you heard in the recording.

… parce que je n'ai pas beaucoup d'argent.

… parce que tous les ans, je pars en vacances avec ma famille.

 Imagine que ton collège restera ouvert pendant les vacances. Écris un programme d'activités pour deux semaines. Utilise un dictionnaire, si nécessaire.

Exemple:

Collège Greenbank
Programme d'activités gratuites

Lundi 9 août
Stage de judo et de karaté au centre sportif

Mardi 10 août
Visite au parc d'attractions
Piquenique sur l'herbe

Mercredi 11 août

J'écris

Your challenge!

My dream holiday

You have won a competition in a French magazine and you're on a luxury holiday of your choice! Write a blog entry from your holiday destination. Write about 150 words. Include the following details:

- what sort of holiday you normally have
- where you have gone for your dream holiday and what you've done there so far
- what you're also going to do on the holiday
- something else you would like to do one day.

Vous avez gagné!

1 Write four present-tense sentences you could use in your blog.

Example: Normalement, je vais au bord de la mer en France.
S'il fait beau, je me fais bronzer sur la plage.

2 Change any two of your sentences from exercise 1 into the *nous* form. Make sure they still make sense!

Example: Normalement, **nous allons** au bord de la mer.

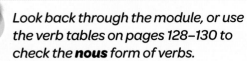

*Look back through the module, or use the verb tables on pages 128–130 to check the **nous** form of verbs.*

3 Write six sentences in the perfect tense by taking one phrase from each shape. Then use your own ideas to write four more perfect-tense sentences that you could use in your blog entry.

Lundi
Hier soir
Samedi dernier
Mardi après-midi
Ce matin
Hier

j'ai fait
je suis allé(e)
j'ai vu
j'ai loué
je suis resté(e)
j'ai pris

à l'hôtel
un coup de soleil
beaucoup de photos
un bateau   à la pêche
un stage de plongée
des poissons tropicaux
un safari
de la voile

4 Write these sentences correctly. Note which are in the future tense (F) and which are in the conditional (C).

1 jeresteraisurlaplage
2 jeferaidelaplanchèàvoile
3 jevoudraisvisiterunparcd'attractions
4 j'iraiàlacampagne
5 j'aimeraisfaireunerandonnée
6 jemangeraiaurestaurant

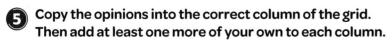

5 Copy the opinions into the correct column of the grid.
Then add at least one more of your own to each column.

present	past	future	conditional
	c'était génial		

c'était génial

ce sera intéressant

je trouve ça ennuyeux

ce serait fantastique

j'ai beaucoup aimé ça

c'était très difficile

à mon avis, c'est nul

6 Read the text and find examples from the list below.

Normalement, je vais en vacances à la campagne. J'y vais avec ma famille et nous faisons du camping dans la forêt. Je trouve ça un peu ennuyeux parce qu'il n'y a pas grand-chose à faire. Moi, je préfère les vacances actives.

Mais cette année, j'ai gagné un concours et me voici en vacances aux Antilles, en Guadeloupe! C'est fantastique ici parce qu'on peut faire toutes sortes d'activités. Par exemple, lundi matin, j'ai fait de la plongée sous-marine et j'ai vu beaucoup de poissons tropicaux. Puis hier après-midi, j'ai fait un stage de ski nautique. J'ai trouvé ça assez difficile et je suis tombé à l'eau beaucoup de fois, mais c'était quand même marrant.

Demain, j'irai à la pêche avec un groupe de jeunes. Nous louerons un bateau et nous passerons la journée en mer. Je mettrai beaucoup de crème solaire puisqu'il fait très chaud et je ne veux pas prendre un coup de soleil!

Un jour, je voudrais faire un safari en Afrique, car j'aimerais prendre des photos de tous les animaux sauvages, comme les girafes et les lions. Ce serait génial!

| **il n'y a pas grand-chose** | there's not much |

NATHAN

Find examples in the text of:

1 connectives
2 intensifiers
3 time and frequency expressions

4 opinions
5 reasons
6 different tenses

7 Find the longest three sentences in the text. How has Nathan linked different ideas to create these? Write an extended sentence like this for your blog entry.

8 Now plan and write your blog entry.

9 Ask your partner to read your blog entry and award you a score out of 5 for the following.

- different tenses
- structure
- variety of language
- extended sentences
- accuracy

To aim for the highest level, as well as including three tenses, you need to show that you can:

- *structure your ideas: beginning, middle, end*
- *link sentences and paragraphs*
- *use a variety of vocabulary and structures*
- *adapt language you've learned.*

Look at how Nathan achieves these things in his blog entry.

Do all of this <u>and</u> avoid mistakes and you're on your way to top marks!

Studio Grammaire 1

The pronoun *y*

The pronoun *y* means 'there' and it is used to refer to a place which has already been mentioned.
It goes in front of the verb. *Je* shortens to *j'* in front of *y*.
Je vais en Espagne avec ma famille. → *J'y vais avec ma famille.*

1 Rewrite these sentences, replacing the underlined words with *y*. Remember to put *y* in front of the verb.

   1 *Je vais <u>au Canada</u> avec mes parents.*

   2 *Nous passons quinze jours <u>à Montréal</u>.*

   3 *Ma sœur va <u>au collège</u> en bus.*

   4 *Tu restes <u>sur la plage</u> toute la journée?*

   5 *Ils mangent <u>à l'hôtel</u> parce qu'il y a un bon restaurant.*

   6 *On arrive <u>chez lui</u> vers dix heures.*

Forming questions

There are two ways of forming questions with question words such as *où* and *qui*.
You can use inversion or use *est-ce que*.

Using inversion

Put the question word first and invert (i.e. swap around) the subject and the verb.
Pourquoi aimes-tu *les vacances à la neige?*
Que feras-tu *l'année prochaine?*
In the perfect tense, you invert the subject and the part of *avoir* or *être*.
Avec qui es-tu *allé(e) en vacances?*

Using *est-ce que*

Put the question word first followed by *est-ce que*.
Où est-ce que *tu vas en vacances?*

Qu'est-ce que is shortened to *que* when you use inversion.
Qu'est-ce que tu fais en vacances? → *Que fais-tu en vacances?*
In the perfect tense, *qu'est-ce que* is used more often than *que*, as it is easier to say:
Qu'est-ce que tu as fait là-bas?

2 Rewrite these questions, using inversion in numbers 1–4 and *est-ce que* in numbers 5–8.

   1 *Normalement, tu passes tes vacances où?*

   2 *Vous êtes allés en Espagne avec qui?*

   3 *Qu'est-ce que tu feras cette année?*

   4 *Pourquoi vous aimez ce style de vacances?*

   5 *Tu iras où l'année prochaine?*

   6 *Vous avez fait du camping avec qui?*

   7 *Pourquoi tu prends toujours un chargeur?*

   8 *Tu as passé combien de temps en Alsace?*

The conditional

You use the conditional to say 'would'. To form the conditional, take the **future tense stem** and add the **imperfect tense endings**. For regular verbs, the future tense stem is the infinitive.

aimer (to like)

j'aimer**ais**	nous aimer**ions**
tu aimer**ais**	vous aimer**iez**
il/elle/on aimer**ait**	ils/elles aimer**aient**

Some verbs, like *avoir* (to have), *être* (to be) and *vouloir* (to want), have irregular stems, but use the same endings as regular verbs.

J'**aurais** une grande maison.	I would have a big house.
Ce **serait** génial.	It would be great.
Elle **voudrait** danser.	She would like to dance.

3 What would people do if they were very rich? Put the verb in brackets into the conditional.

1 Je (acheter) une grande voiture.
2 Tu (manger) tous les jours au restaurant.
3 On (passer) un mois en Espagne.
4 Ils (regarder) la télé tout le temps.
5 Vous (habiter) dans une belle villa.
6 Je (être) très content.
7 Elle (avoir) beaucoup d'amis.
8 Nous (vouloir) aller aux Antilles.

Reflexive verbs

Reflexive verbs include a reflexive pronoun (*me, te, se*, etc.). They are often used for actions you do to yourself, e.g. *se laver* (to wash). *Me, te* and *se* shorten to *m', t'* and *s'* in front of a vowel.

Je m'amuse. Tu t'amuses? On s'amuse.

To see all the parts of a typical reflexive verb, see the verb tables on pages 128–130.

Some reflexive verbs use *faire* + an infinitive to refer to something that is done to you.

Je me fais piquer. I get stung.

The *y* in *s'ennuyer* (to get bored) changes to *i* in the *je, tu, il/elle/on* and *ils/elles* forms.

tu t'ennuies   ils s'ennuient

4 Put the reflexive verbs into the correct form, using the subject pronoun given. Then translate them.

Example: 1 je me coiffe   I do my hair

1 je (se coiffer)
2 je (se baigner)
3 tu (s'ennuyer)
4 on (se faire bronzer)
5 nous (s'amuser)
6 vous (se coucher)
7 ils (se reposer)
8 elles (s'habiller)

se coucher	to go to bed
se reposer	to rest
s'habiller	to get dressed

Studio Grammaire 2

More perfect tense verbs

The following verbs have irregular past participles.

être (to be) → *j'ai* **été**

faire (to do/make) → *elle a* **fait**

mettre (to put/put on) → *nous avons* **mis**

prendre (to take) → *ils ont* **pris**

A small number of verbs (mainly verbs of movement) take *être* in the perfect tense. The past participle must agree with the subject.

je suis tombé(e)   nous sommes entré(e)s

See page 130 of the verb tables for a list of verbs which take *être*.

1 Copy and complete the text, putting the verb in brackets into the perfect tense.

L'année dernière, je ❶ (*partir*) en colo. Je ❷ (*aller*) en Alsace avec mes copains de classe. On ❸ (*faire*) toutes sortes d'activités. Nous ❹ (*jouer*) au tennis, nous ❺ (*faire*) de l'escalade et nous ❻ (*aller*) à la pêche. C'était drôle, parce que ma copine Élise ❼ (*tomber*) à l'eau! Il ❽ (*faire*) très chaud, alors j' ❾ (*mettre*) plein de crème solaire. Un jour, nous ❿ (*prendre*) le bus pour aller à Strasbourg où nous ⓫ (*visiter*) la cathédrale. Le soir, on ⓬ (*manger*) des saucisses cuites au barbecue, mais après, j' ⓭ (*être*) malade. J' ⓮ (*vomir*) toute la nuit et le lendemain, je ne ⓯ (*sortir*) pas. Je ⓰ (*rester*) au lit et j' ⓱ (*dormir*) pendant dix heures!

2 Translate these sentences into French. Use the verb tables on pages 128–130 to check the past participles if you need to.

1 She was ill.

2 We (*on*) made a pizza.

3 I put on a hat.

4 They (*ils*) took the train.

5 He fell in the water.

6 She stayed on the beach.

7 We (*nous*) went out at seven o'clock.

8 They (*elles*) left yesterday.

9 I arrived at the hotel.

10 You (*tu*) came home at ten o'clock.

Emphatic pronouns

You use emphatic pronouns (*moi, toi, lui*, etc.) to emphasise the subject pronoun (*je, tu, il*, etc.) that you are talking about.

Moi, *j'aime les vacances actives.*   **I** like active holidays.

Lui, *il préfère rester sur la plage.*   **He** prefers to stay on the beach.

subject pronoun	emphatic pronoun
je	moi
tu	toi
il	lui
elle	elle
on	nous
nous	nous
vous	vous
ils	eux
elles	elles

3 Complete each sentence with the correct emphatic pronoun. Then translate the sentences into English.

1 ▬▬▬, *je voudrais aller en Espagne.*

2 ▬▬▬, *il n'aime pas se faire bronzer.*

3 ▬▬, *on mangera à l'hôtel.*

4 ▬▬, *tu as fait de la voile?*

5 ▬▬, *ils ont loué une villa.*

6 ▬▬, *elle se baigne tous les jours.*

7 ▬▬, *vous allez où en vacances?*

8 ▬▬, *elles ont fait du ski nautique.*

Using three tenses (present, past and future)

To reach a higher level in French, you need to demonstrate that you can use three tenses correctly: present, perfect and future (or near future). Check through the *Studio Grammaire* sections at the end of the modules in this book, to make sure you are confident about using all of these tenses. Then do these practice exercises.

4 Each of these sentences contains two verbs, but one of them is in the wrong tense. Correct the tense of the verbs, using the time expression in each sentence as a guide.

1 *Normalement, je suis allé en vacances en Écosse et je fais du camping.*

2 *L'année dernière, on ira au Portugal, mais j'ai pris un coup de soleil.*

3 *La prochaine fois, je mettrai une casquette et je ne suis pas restée au soleil.*

4 *Hier, on va louer un bateau, mais on est tombés à l'eau!*

5 *L'année prochaine, mon frère partira en colo, où il a fait du canoë-kayak.*

6 *En général, ma famille et moi passons un mois en France et nous sommes sortis tous les soirs.*

5 Copy and complete the text, putting the verb in brackets into the correct tense.

D'habitude pendant les vacances, je **1** (*aller*) en colo avec mes copains. On **2** (*passer*) quinze jours à la montagne et on **3** (*faire*) toutes sortes d'activités. Par exemple, l'année dernière, j'**4** (*faire*) de l'escalade et un jour on **5** (*aller*) à la pêche. Normalement, le soir, nous **6** (*manger*) à la cantine et après nous **7** (*jouer*) au ping-pong. Cependant, l'année prochaine, j'**8** (*aller*) en Espagne avec ma famille. On **9** (*louer*) une villa et ma sœur et moi **10** (*faire*) un stage de plongée. Génial!

Vocabulaire

Les vacances • *Holidays*

Je vais en vacances …	*I go on holiday …*
au bord de la mer	*to the seaside*
à la campagne	*to the countryside*
à la montagne	*to the mountains*
J'y vais …	*I go there …*
avec ma famille	*with my family*
J'y reste …	*I stay there …*
une semaine/quinze jours/un mois	*one week/a fortnight/ a month*
Je pars en colo.	*I go to a holiday camp.*
Je pars en classe de neige.	*I go on a winter-sports holiday.*
On fait du camping.	*We go camping.*

Les activités de • *Holiday activities*
vacances

Je fais …	*I do/go …*
du canoë-kayak	*canoeing*
du VTT	*mountain biking*
du ski nautique	*water skiing*
du snowboard	*snowboarding*
de la plongée sous-marine	*scuba diving*
de la voile	*sailing*
de la planche à voile	*windsurfing*
de l'équitation	*horse riding*
de l'escalade	*climbing*
des randonnées dans la forêt	*hiking in the forest*
Je vais à la pêche.	*I go fishing.*
Je prends des cours de ski.	*I have skiing lessons.*
J'ai fait un stage (de voile).	*I did a (sailing) course.*
Il n'y a pas grand-chose à faire.	*There's not much to do.*

Mes rêves • *My dreams*

Je voudrais …/J'aimerais …	*I would like to …*
descendre l'Amazone en canoë	*go down the Amazon in a canoe*
essayer des sports extrêmes	*try some extreme sports*
faire un safari en Afrique	*go on safari in Africa*
passer des vacances sur une île déserte	*spend the holidays on a desert island*
traverser le Sahara à dos de chameau	*cross the Sahara by camel*
visiter tous les parcs d'attractions du monde	*visit all the theme parks in the world*
voir des gorilles en liberté	*see gorillas in the wild*

Les réactions • *Reactions*

Oua-a-a-is! Cool!	*Yeah! Cool!*
Bonne idée!	*Good idea!*
Ce serait génial/super.	*That would be great.*
Quelle horreur!	*How horrible!*
Tu rigoles!	*You must be joking!*
Ce serait trop …	*That would be too …*
dangereux/tranquille pour moi	*dangerous/quiet for me*
Ce n'est pas mon truc.	*It's not my kind of thing.*

Les verbes • *Reflexive verbs*
pronominaux

Je me baigne.	*I swim.*
Je me coiffe.	*I do my hair.*
Je me couche.	*I go to bed.*
Je me douche.	*I have a shower.*
Je me fais bronzer.	*I sunbathe.*
Je me fais piquer.	*I get stung.*
Je m'amuse.	*I have fun.*
Je m'ennuie.	*I get bored.*

4

Les affaires de • *Holiday items*
vacances

un adaptateur	*an adaptor*
un chargeur (pour mon mp3)	*a charger (for my mp3)*
un chapeau de paille	*a straw hat*
un tuba	*a snorkel*
un sac à dos	*a rucksack*
une bombe anti-insectes	*an insect-repellent spray*
une lampe de poche	*a torch*
de la crème solaire	*sun cream*
du gel coiffant	*hair gel*
des lunettes de plongée (fpl)	*swimming goggles*
des palmes (fpl)	*flippers*
des tongs (fpl)	*flip-flops*
plein de bouquins (mpl)	*loads of books*

T'as passé de bonnes • *Did you have a*
vacances? *nice holiday?*

Pas vraiment.	*Not really.*
C'était un désastre.	*It was a disaster.*
Je suis resté(e) trop longtemps au soleil.	*I stayed in the sun too long.*
J'ai pris un coup de soleil.	*I got sunburnt.*
Il a plu tout le temps.	*It rained all the time.*
L'eau est entrée dans la tente.	*Water came into the tent.*
Je suis tombé(e) à l'eau.	*I fell in the water.*
J'ai été malade.	*I was ill.*
On a tous été malades.	*We were all ill.*
C'est dommage.	*What a shame.*
C'est pas drôle, ça.	*That's not funny.*

À la base de loisirs • *At the leisure park*

J'ai …/On a …	*I …/We …*
fait du tir à l'arc	*did archery*
fait de la planche à voile	*went windsurfing*
fait du trampoline	*did trampolining*
fait de la baignade	*went swimming*
fait une balade en barque	*went on a boat ride*
joué aux boules	*played boules*
joué sur des structures gonflables	*played on a bouncy castle*
loué un pédalo	*hired a pedalo*

Les mots essentiels • *High-frequency*
words

avec qui?	*with whom?*
combien de?	*how much/how many?*
que?	
qu'est-ce que?	*what?*
pourquoi?	*why?*
y	*there*
quel(le)(s)	*which?/what*
toujours	*always*
prochain(e)(s)	*next*

Stratégie 4

Reading complicated texts

Just because you can't understand every word doesn't mean you can't work out what a French story or article is about. How many of these strategies do you use already?

- Read all of the text to get an idea of what it's about.
- Don't panic or give up when there's a word you don't know – carry on to the end.
- Use logic to make sensible guesses.
- Spot cognates and words that look familiar.
- Say unfamiliar words out loud to check if they sound like another word you know.

Try out all these strategies and see which work best for you.

According to one French survey:

- 17.2% of girls are not allowed to go out in the evenings until they are 18
- 43% have to ask permission every time they want to go out
- 38.4% don't have to ask permission, but have to say where they are going and when they will be back
- 1.4% can go out when they want, without asking permission or saying when they will be back.

- 9.1% of boys are not allowed to go out in the evenings
- 33.3% have to ask permission before going out
- 49.3% don't have to ask permission, but have to say where they are going and when they will be back
- 8.3% can go out without asking permission or saying when they'll be back.

What do you think of these findings? Are they fair to girls? Are they fair to boys? Do you think the figures would be the same in your country?

4,000 secondary school pupils from Quebec were asked what worried them most.

What do you think their top answer was from this list?
- Relationship problems
- Parents getting divorced
- Losing friends
- Loneliness
- Results at school

(Answer below.)

Pupils from Quebec said the thing that worried them most was results at school.

Do you know where your trainers or your T-shirt were made? A lot of the clothing we buy in the West is made by poorly paid 'sweatshop' workers in Asia, and many of these workers are children.

If you want to avoid buying sweatshop-made goods, look out for clothes from fair-trade producers and suppliers.

When asked 'What would make you happier?', 63% of young French people said 'Having more money'.

Do you agree with this statement? What makes you happy?

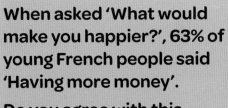

You're never too young to change the world! There are lots of fun ways of raising money for your favourite charity. You could organise a talent show, a face-painting day, a fun run, a swimathon, or even a custard-pie-throwing contest! Which charity would you support?

1 Mes droits

- Discussing what you are allowed to do
- Using expressions with avoir

1 Écoute et lis les textes.

Tu as le droit de ...?

Jamel

Moi, j'ai le droit de sortir avec mes copains le weekend si je rentre avant dix heures du soir, mais je n'ai pas le droit de jouer à des jeux vidéo le soir, même si j'ai fini mes devoirs.

Moi, j'ai le droit d'aller au MacDo avec mes copains si j'ai mon portable sur moi et si mes parents savent avec qui je suis. Hier, par exemple, je voulais aller en ville avec mes copines, alors j'ai envoyé un SMS à ma mère et elle était d'accord. Mais je n'ai pas le droit d'aller sur des forums en ligne parce que ma mère pense que ça peut être dangereux.

Astrid

Charles

J'ai le droit de surfer sur Internet une heure par jour si j'ai aidé à la maison et j'ai le droit de regarder la télé dans ma chambre jusqu'à 11 heures du soir si je veux.

Moi, j'ai le droit de sortir seule si mes parents savent où je vais, mais je n'ai pas le droit d'aller sur Facebook parce que mon père n'aime pas Facebook.

Manon

avoir le droit de	to be allowed to (literally: to have the right to)
même si	even if

2 Relis le texte. Copie et complète le tableau.

1 Jamel **2** Manon **3** Astrid **4** Charles

	is allowed to ...	is not allowed to ...	conditions
1 Jamel			

3 Écoute et corrige les erreurs dans ces phrases. (1–6)

1 Alexis a le droit d'aller sur Facebook.

2 Jonathan a le droit de surfer sur Internet, même s'il n'a pas fait ses devoirs.

3 Sarah a le droit d'aller au MacDo avec ses copains.

4 Nassim n'a pas le droit de jouer à des jeux vidéo le weekend.

5 Simon n'a pas envie de sortir seul.

6 Samira a le droit d'aller sur des forums.

4 Fais un sondage en classe. Écris cinq questions. Pose les questions à cinq personnes et note les réponses.

Exemple: Tu as le droit d'aller au MacDo avec tes copains?

Studio Grammaire

Expressions with *avoir*:

avoir raison	to be right
avoir tort	to be wrong
avoir faim	to be hungry
avoir soif	to be thirsty
avoir envie de	to want to
avoir le droit de	to be allowed to
en avoir marre de	to be fed up of

If you know the verb **avoir** in different tenses, you can vastly increase what you can say by using some of the simple expressions in the **Studio Grammaire** box above.

J'avais faim et j'avais envie de manger quelque chose, alors je suis allé dans un café.

These expressions with **avoir** are idiomatic, which means they can't be translated literally. If you use them well, you will get higher marks.

 Écoute et écris la lettre de l'opinion que tu entends. (1–5)

a Mais ce n'est pas juste!

b À mon avis, c'est tout à fait normal.

c Ce n'est pas du tout normal!

d Franchement, c'est fou! On te traite comme un enfant!

e Mais révolte-toi! Il est temps! Tes parents exagèrent!

 À trois. Une personne pose les questions. La deuxième personne répond et la troisième personne doit réagir.

In threes. One person asks the questions. The second person answers and the third person must react.

Exemple:

● *Tu as le droit de sortir avec tes copains le weekend?*

■ *Non, je n'ai pas le droit de sortir avec mes copains le weekend.*

◆ *Franchement, c'est fou! On te traite comme un enfant.*

- Tu as le droit de sortir avec tes copains le weekend?
- Tu as le droit de surfer sur Internet tous les soirs?
- Tu as le droit d'aller sur des forums?
- Tu as le droit de jouer à des jeux vidéo le soir?
- Tu as le droit de sortir seul(e)?
- Tu as le droit d'aller sur Facebook?

 Lis les textes et note vrai (V) ou faux (F).

Ce weekend, je veux aller à une soirée avec mes copains, mais mes parents ne sont pas d'accord. Mes parents m'énervent. À mon avis, ils ne me laissent pas assez de liberté. Je suis responsable, je veux être indépendant maintenant, et cela, mes parents ne le comprennent pas. Quand j'étais plus jeune, ça allait, parce que je n'avais pas envie de sortir seul, mais ils doivent comprendre que j'ai grandi, depuis. Ils veulent me protéger, je le comprends, mais j'en ai vraiment marre. Que dois-je faire?

Aurélien, 14 ans

Essaie de te mettre à leur place, de comprendre leur position et de respecter leur décision. Tes parents t'aiment et prennent leur responsabilité au sérieux. Discute avec eux mais ne te mets pas en colère, reste calme et essaie de les rassurer. Avant tout, il faut être honnête et il faut aussi bien choisir son moment. Ne leur demande rien si tu as reçu un mauvais bulletin scolaire, par exemple! Ce n'est pas la peine!

Sylvie

se mettre en colère	to get angry
Ce n'est pas la peine.	It's not worth it.

1 Ce weekend, Aurélien va aller à la soirée avec ses copains.
2 Selon Aurélien, ses parents pensent qu'il n'est pas responsable.
3 Quand Aurélien était jeune, il ne voulait pas sortir seul.
4 Selon Sylvie, Aurélien doit respecter ses parents.
5 Sylvie pense que l'honnêteté est très importante.
6 Sylvie dit qu'il ne faut rien demander si on a eu de mauvaises notes au collège.

> **Studio Grammaire**
>
> You use the imperative to tell somebody to do or not to do something.
>
> Use the present tense form, without the word *tu*. For **–er** verbs, drop the *s*.
>
> **Reste!** Stay!

 Écris un paragraphe sur tes droits.

Exemple:

Moi, j'ai le droit de … si …
et j'ai aussi le droit de … si …
Par exemple, le weekend dernier, …
Mais je n'ai pas le droit de …
même si …

 Spice up your answers with details wherever you can.

- *Show that you can use si.*
  … si mes parents savent où je vais et avec qui.
- *Be sure to add opinions.*
  Je trouve ça normal/injuste.
- *Put in a different tense when it makes sense to do so.*
  Si j'ai fait mes devoirs et si j'ai aidé à la maison, j'ai le droit de …

Mes priorités

○ *Explaining what's important to you*
○ *Using direct object pronouns*

1 **Qui est-ce? Écoute et écris le bon prénom. (1–4)**

tout d'abord	*first of all*
avant tout	*above all*

Lucas, 14 ans

l'argent

mes études

l'état de la planète

Manu, 15 ans

ma santé

la musique

la pauvreté dans le monde

la faim

Karima, 14 ans

le foot, le foot et le foot

la violence le racisme

l'injustice

Zahra, 16 ans

ma famille mon chien

mes amis

la cruauté envers les animaux

2 **Mets les priorités et les préoccupations des jeunes de l'exercice 1 dans l'ordre d'importance pour toi.**

3 **En tandem. Fais trois dialogues.**

● *Qu'est-ce qui est important pour toi dans la vie?*

▬ *Ce qui est important pour moi, c'est …*

● *Qu'est-ce qui te préoccupe dans la vie?*

▬ *Ce qui me préoccupe, c'est …*

ce qui	*what (literally: that which)*

Studio Grammaire

>> Page 115

We use pronouns to avoid repetition. Direct object pronouns replace the object of a sentence.

me	me
te	you
nous	us
vous	you

Direct object pronouns go in front of the verb.

*Qu'est-ce qui **te** préoccupe dans la vie?* What worries you in life?

*Ce qui **me** préoccupe, c'est …* What worries me is …

A

B

C

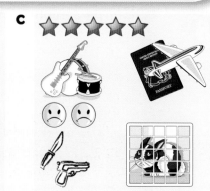

 Lis le texte et choisis le bon mot pour compléter chaque phrase.

Il faut agir! Sauvons les animaux ensemble!

Dans la vie, mes priorités à moi sont d'abord ma famille et mes amis. L'argent, oui, c'est important, mais être heureux, c'est plus important, à mon avis.

Une autre chose qui est importante pour moi, ce sont les animaux. J'ai trois animaux domestiques: un chien, un chat et un rat. Je les adore!

S'il y a une chose que je n'arrive pas à comprendre, c'est la cruauté envers les animaux. J'ai un blocage total et quand j'ai lu un article sur le trafic d'animaux sur le site français du WWF, j'ai décidé que je devais absolument agir. J'en ai parlé avec ma mère. D'abord, je suis devenue membre, et puis notre famille a adopté un ours polaire. C'est trop cool!

Je suis encore trop jeune, mais un jour je voudrais participer au Pandathlon. Le Pandathlon, c'est le défi sportif du WWF. On doit réunir une équipe de quatre personnes et monter et descendre le mont Ventoux en moins de dix heures. On doit collecter de l'argent pour les programmes de conservation du WWF en France. On doit avoir seize ans pour participer, alors pour le moment, je n'ai pas le droit, mais dans deux ans, je le ferai!

À l'avenir, je voudrais travailler pour cette organisation. Ce serait mon job idéal.

Chloé

agir	*to act*
j'ai un blocage total	*I have a mental block*
WWF	*an international conservation charity*
le défi	*challenge*

1 Ce qui est important pour Chloé dans la vie, c'est le bonheur/l'argent.

2 Elle ne peut pas comprendre les gens qui maltraitent/adorent les animaux.

3 Sa famille a adopté un ours polaire; elle pense que c'est super/nul.

4 On fait le Pandathlon pour s'amuser/collecter des fonds.

5 Il faut avoir seize ans pour participer au Pandathlon/devenir membre du WWF.

6 Chloé pense que ce serait stimulant/ennuyeux de travailler pour le WWF.

 Écoute Loïc. Prends des notes en anglais sous ces rubriques.

Priorities (3)   Concerns (2)   Ambition (1)

 Écris un paragraphe sur tes priorités et tes préoccupations dans la vie.

Exemple:

> Ce qui est important pour moi,
> c'est d'abord ... ensuite, c'est ...
> Ce qui me préoccupe, c'est ...
> S'il y a une chose que je n'arrive pas à
> comprendre, c'est ...
> Alors, j'ai décidé ...
> Un jour, je voudrais ...

 In Studio 1, you learned how to talk about your likes and dislikes. Now you are learning how to express yourself using more complex language.

Je n'aime pas le racisme. →

Ce qui me préoccupe dans la vie, c'est le racisme.

These two sentences say the same thing, but in different ways.

Tu vas l'acheter?

- Talking about things you buy
- Using *si* in complex sentences

1 Écoute et remplis les blancs avec la bonne phrase. (1–5)

1 Si un produit est ████, je l'achète, parce que je crois que nous devons protéger l'environnement.

Stella

2 Si c'est un produit «commerce équitable», je l'achète, parce que je crois qu'il faut ████ les gens.

Guillaume

3 Si un produit est bon marché, je l'achète, car ████ est la chose la plus importante pour moi.

Christophe

4 Si un produit me plaît, je l'achète, car ████ des ouvriers ne m'intéressent pas.

Laurine

5 Si un produit est ████, je ne l'achète pas, parce qu'en général les produits pas chers sont fabriqués dans des conditions de travail inacceptables, souvent par des enfants.

Jade

le prix   bon marché   les conditions de travail   respecter   écolo

| le commerce équitable | fair trade |
| les ouvriers (mpl) | workers |

2 Fais un sondage dans ta classe. Pose la question suivante et note les réponses.

- Quand tu fais du shopping, comment est-ce que tu fais ton choix?

> Reuse phrases from exercise 1 in your own answers to exercise 2. You know they are correct!

Studio Grammaire

Use *si* to help you add variety to your sentences.

Si un produit est bon marché, je l'achète.
If a product is cheap, I buy it.

J'ai le droit de sortir si j'ai fait mes devoirs.
I am allowed to go out if I have done my homework.

Studio Grammaire

Page 115

Direct object pronouns replace the object of a sentence. They go in front of the main verb in the sentence.

le/la/l'	him/her/it
les	them
*Je vais **l'**acheter.*	I'm going to buy it.
*Tu vas **les** acheter?*	Are you going to buy them?

Lis le texte et complète les phrases en anglais.

Aujourd'hui plus de 70% des jouets achetés en France sont fabriqués en Asie.

Beaucoup de multinationales décident de fabriquer leurs jouets dans les pays de l'Asie du Sud-Est parce que les coûts de production y sont moins chers. Mais les conditions de travail sont quelquefois inacceptables:

- Les ouvriers sont sous-payés et leur journée de travail est très longue.
- Ils sont exposés à des risques toxiques.
- Beaucoup d'ouvriers sont des jeunes femmes et même des enfants.

Le collectif «Éthique sur l'Étiquette» demande aux multinationales de respecter les droits des ouvriers. Il veut aussi éduquer les consommateurs. Savais-tu, par exemple, que pour une poupée vendue à 30 euros en France, l'ouvrier en Asie va gagner seulement 1 euro? Qu'en penses-tu?

une poupée   a doll

1 Today, more than seventy per cent of toys bought in France are …

2 Multinational companies decide to make toys in these countries because production costs in South-East Asia …

3 Sometimes the working conditions are …

4 Some workers are underpaid, and their working day is …

5 'Ethical labels' asks multinational companies to …

6 For example, if a doll sells for 30 euros in France, the … in Asia will earn only 1 euro.

Écoute Quentin. Quelles sont les deux phrases qu'il n'utilise pas?

1 D'habitude, le shopping ne m'intéresse pas beaucoup.

2 Je préfère surfer sur Internet, mais hier, je suis allé en ville avec mon père et il m'a acheté un beau pyjama qui était très bon marché.

3 Ensuite, on est allés au restaurant où j'ai mangé une pizza.

4 Puis hier soir, j'ai vu le même pyjama sur l'écran de mon ordi.

5 C'était dans un article sur les conditions de travail des ouvriers qui fabriquent des articles pour ce magasin.

6 J'ai été très choqué parce que c'est un enfant qui a fabriqué mon pyjama.

7 À l'avenir, je ferai plus attention.

8 Si un produit est bon marché, je ne l'achèterai pas tout de suite.

9 Les conditions de travail des ouvriers m'intéressent.

10 Je regarderai les étiquettes de plus près, parce que je ne veux pas exploiter les gens.

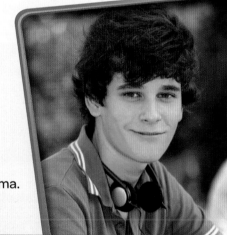

tout de suite   straightaway
de plus près   more closely

Écris un paragraphe sur le shopping.

- Say why you buy a product.
- Give a reason for your choice.
- Say what you bought last week.
- Say what you will do in the future.

Si un produit	est écolo, est bon marché, n'est pas cher, me plaît,	je l'achète je ne l'achète pas	parce que … car …
Par exemple, la semaine dernière, j'ai acheté …			
À l'avenir,	je regarderai le prix et c'est tout! je regarderai l'étiquette de plus près.		

- Use **si** to show that you can create complex sentences.
  Si un produit me plaît, je l'achète.
- Don't forget to give your opinion.
  Je crois qu'il faut respecter les gens.

4 Le bonheur, c'est ...

- Describing what makes you happy
- Using complex structures

1 Écoute et lis. Trouve la bonne photo pour chaque personne.

Qu'est-ce que c'est pour toi, le bonheur?
Qu'est-ce qui te rend heureux/heureuse?

Ce qui me rend heureux, c'est d'être avec mon meilleur copain: se retrouver quelque part, sortir ensemble, bien rigoler, quoi! Voilà: pour moi, le bonheur, c'est l'amitié.
Éric

Le bonheur, pour moi, c'est de rester au lit au lieu d'aller au collège! Ce que j'adore, c'est quand je me réveille le matin et je n'ai pas de cours parce que c'est dimanche.
Margaux

Farid
Le bonheur, c'est quand mon équipe de foot gagne un match! Quand on a gagné contre le PSG, mes amis et moi étions bien contents. Malheureusement, on a perdu samedi dernier, donc on était tous déprimés.

Ce qui me rend heureuse, c'est d'être en famille. Nous sommes une grande famille et nous sommes très proches. Mon grand-père maternel est décédé l'année dernière et il me manque beaucoup. Alors, j'apprécie surtout de passer du temps avec mes autres grands-parents.
Cécile

Antonin
Pour moi, le bonheur, c'est d'avoir de bonnes notes au collège. Une fois, j'ai eu la meilleure note de la classe en sciences et j'étais heureux comme tout! Mes parents m'ont dit que si je réussis mes examens, j'aurai une Xbox 360. Alors, je ferai un gros effort!

2 Trouve l'équivalent de ces phrases dans les textes de l'exercice 1.

1 What makes me happy is ...
2 For me, happiness is ...
3 ... getting good marks at school.
4 ... being with my best friend ...
5 We are a big family and we are very close.
6 ... staying in bed, instead of going to school!
7 ... if I pass my exams, I will get ...
8 ... going out together, having a good laugh ...

> ❗ Get the wow factor! Complex structures like **ce qui me rend heureux/heureuse, c'est ...** take your French to a higher level and will impress people. Pick out two or three phrases in exercise 1 that you could use or adapt to talk about what makes you happy.

Studio Grammaire

The word *meilleur* means 'better' or 'best' depending on how it's used. When it means 'best', it is an adjective and has to agree with the noun it refers to.

masculine singular	feminine singular
mon meilleur copain (my best friend)	*la meilleure note* (the best mark)
masculine plural	**feminine plural**
un des meilleurs films (one of the best films)	*mes meilleures amies* (my best friends)

3 Écoute. Copie et complète le tableau en anglais. (1–5)

	What makes him/her happy?	Why?
1	his dog	...

En tandem. Fais un dialogue au sujet du bonheur.

● *Qu'est-ce qui te rend heureux/heureuse?*

■ *Ce qui me rend heureux/heureuse, c'est* } le/la/les + noun
  de/d' + infinitive

● *Qu'est-ce que c'est pour toi, le bonheur?*

■ *Pour moi, le bonheur, c'est* } le/la/les + noun
  de/d' + infinitive

> Show that you can go beyond just asking and answering. Develop the conversation. For example, ask why, give reasons, agree or disagree, add something to what your partner has said, etc. Listen again to how the speakers in exercise 3 do this.

Lis le texte. Copie et complète les phrases en français.

Pour moi, le bonheur, c'est …

Je m'appelle Max et je suis québécois. Ce qui me rend vraiment heureux, c'est de participer au sport national canadien: le hockey (c'est-à-dire, le hockey sur glace). J'y joue depuis l'âge de neuf ans et j'y suis complètement accro! Je crois que c'est parce que j'adore les sensations fortes. On dit que c'est le sport collectif le plus rapide du monde et ça me donne un méga coup d'adrénaline! Bien sûr, ça peut être dangereux et c'est pourquoi il faut porter plein de vêtements protecteurs, mais même avec cela, j'ai eu plein de blessures. Malgré cela, à part ma famille et mes amis, le hockey, c'est la chose la plus importante de ma vie.

Je m'appelle Corinne et j'habite à Papeete, la capitale de Tahiti. Pour moi, le bonheur, c'est la danse et surtout notre danse traditionnelle, le tamouré. Quand j'étais petite, je regardais ma mère et ma sœur aînée danser le tamouré et je me suis dit: un jour, je ferai ça! Donc, j'ai commencé à en faire à l'âge de sept ans. Pour danser le tamouré, il faut être très souple, car tu dois secouer très rapidement les hanches. C'est très difficile et ça demande des années de travail. Mais j'adore faire ça parce que quand je danse, j'oublie tout et je me sens entièrement heureuse.

la blessure	injury
malgré	in spite of
secouer les hanches	to shake your hips

1 Pour Max, le bonheur, c'est …
2 Il en fait depuis …
3 Il adore ce sport parce qu'il …
4 Il faut porter des vêtements protecteurs car …

5 Ce qui rend Corinne heureuse, c'est …
6 Elle a décidé d'en faire parce que/qu' …
7 Elle a commencé à en faire …
8 Elle aime beaucoup danser car …

En tandem. Interviewe Max ou Corinne. Utilise les questions suivantes.

Qu'est-ce qui te rend heureux/heureuse?

Pourquoi as-tu choisi ce passetemps?

Depuis quand fais-tu ça?

Pourquoi aimes-tu faire ça?

Qu'est-ce que c'est, pour toi, le bonheur? Écris un paragraphe.

- Explain what makes you happy and why.
- Use or adapt phrases from the texts in exercises 1 and 5.
- Include other tenses. Look at how Corinne uses the perfect, imperfect and future.
- Link sentences and paragraphs: *quand, si, parce que, car, donc, pourtant* …
- To show you can adapt structures you've learned, refer to other people. For example, if you wanted to say what makes your mum or your best friend happy, how would you adapt the phrase *Ce qui me rend heureux/heureuse* …?
- Check and correct what you've written. Use the checklist on page 17, exercise 8.

Bilan

Unité 1

I can

- ● say what I am/am not allowed to do: *J'ai le droit de sortir seul(e), mais je n'ai pas le droit d'aller sur des forums.*

- ● use *si* to mean 'if':   *J'ai le droit de sortir le soir si je rentre avant dix heures.*

- ● react to what others say: *Mais ce n'est pas juste!*
  À mon avis, c'est tout à fait normal.

- ☐ use expressions with *avoir*:   *J'ai envie d'aller au MacDo, mais je n'ai pas le droit.*

- ☐ use the imperative in the *tu* form: *Reste calme et essaie de rassurer tes parents.*

Unité 2

I can

- ● say what's important to me: *Ce qui est important pour moi, c'est ma famille et mes études.*

- ● talk about what worries me: *Ce qui me préoccupe, c'est l'injustice et le racisme.*

- ☐ use direct object pronouns: *Qu'est-ce qui te préoccupe?*
  Ce qui me préoccupe, c'est l'état de la planète.

Unité 3

I can

- ● talk about things I buy: *Si c'est un produit «commerce équitable», je l'achète ...*

- ● give reasons: *... parce que je crois qu'il faut respecter les gens.*

- ☐ use *si* in complex sentences: *Si un produit est écolo, je l'achète, parce que je crois que nous devons protéger l'environnement.*

Unité 4

I can

- ● ask someone what makes them happy: *Qu'est-ce qui te rend heureux/heureuse?*
  Qu'est-ce que c'est pour toi, le bonheur?

- ● say what makes me happy: *Ce qui me rend heureux/heureuse, c'est d'être en famille.*
  Pour moi, le bonheur, c'est quand mon équipe gagne un match.

- ☐ use the adjective *meilleur*:   *la meilleure note, mes meilleurs copains*
- ☐ use complex structures: *Ce qui me rend vraiment heureux/heureuse, c'est de sortir avec ma meilleure copine.*

5

1 Écoute. Copie et complète le tableau en anglais. (1–5)

	is allowed to …	is not allowed to …	other person agrees (✓) or disagrees (✗) with parents?
1			

2 En tandem. Pose les questions suivantes à ton/ta camarade. Utilise les renseignements A ou B ou tes propres idées.

● *Qu'est-ce qui est important pour toi dans la vie?*
● *Qu'est-ce qui te préoccupe dans la vie?*

3 Lis le texte et termine les phrases en anglais.

Ce qui me rend vraiment heureuse, c'est de faire les magasins le samedi matin avec mes copines. J'aime surtout acheter des vêtements à la mode. Mais la semaine dernière, j'ai lu un article sur une fille en Chine qui travaillait dans une usine où on fabriquait des tee-shirts. Elle n'avait que douze ans, mais elle travaillait dix heures par jour, six jours sur sept. J'ai trouvé ça affreux. Alors, maintenant, si je veux acheter un vêtement, je regarde toujours l'étiquette. Si c'est un produit «commerce équitable», je l'achète, même si c'est un peu plus cher. À mon avis, il ne faut pas exploiter les ouvriers et il faut protéger les enfants. J'essaierai aussi de persuader mes copines d'acheter des produits éthiques, mais ce ne sera pas facile, parce qu'elles préfèrent acheter des produits bon marché.

Aïcha

1 What makes Aïcha happy is ▬.
2 Last week, she read an article about a girl in China who ▬.
3 The girl was only 12, but ▬.
4 Now if she wants to buy an item of clothing, Aïcha always ▬.
5 If it's a fair-trade product, she ▬.
6 Aïcha thinks that we shouldn't ▬.
7 She thinks it won't be easy to persuade her friends to buy ethical products, because ▬.

4 Écris ton blog, en utilisant les renseignements suivants. Adapte le texte de l'exercice 3 et ajoute tes propres idées.

en Inde	*in India*
des ballons de foot	*footballs*

- What makes you happy: football
- Yesterday: read article about boy in India – worked in factory making footballs – 13 years old – worked 15 hours a day, 7 days a week
- Now: only buy «l'éthique sur l'étiquette» products – we mustn't exploit children
- Tomorrow: going to look for fair-trade products on internet

Écoute et lis le texte.

L'histoire d'Enfants Entraide

FREE THE CHILDREN
children helping children through education

Fondé en 1995 par Craig Kielburger, 12 ans, avec l'aide de 11 de ses camarades de classe, Enfants Entraide se donne comme mission d'autonomiser les jeunes à surmonter les obstacles qui les empêchent de devenir des citoyens socialement responsables.

Comme tous les matins avant d'aller à l'école, Craig Kielburger feuillette le *Toronto Star* à la recherche de ses bandes dessinées. Ce matin, son regard s'arrête sur une photo de la page de couverture qui changera sa vie. L'histoire courageuse d'un garçon de son âge: Iqbal Masih, né en Asie du Sud, vendu comme esclave à l'âge de

4 ans. Cet enfant a passé plus de 6 ans attaché à un métier à tisser. Depuis son évasion, Iqbal parcourait la planète et dénonçait le travail des enfants.

Iqbal a été assassiné pour ses convictions. Il avait le même âge que Craig. Ce que Craig a retenu de cette tragédie, c'est qu'on n'est jamais trop jeune ou trop petit pour s'élever contre l'injustice.

La vision de Craig était claire: libérer les enfants de la pauvreté; libérer les enfants de l'exploitation; libérer les enfants de l'idée qu'ils sont impuissants à changer le monde. Aujourd'hui, plus d'un million de jeunes dans plus de 45 pays se sont impliqués dans les programmes d'éducation et de développement d'Enfants Entraide.

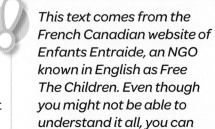

feuilleter	*to flick through*
un métier à tisser	*a loom (for weaving carpets)*
parcourir	*to travel around*

Associe ces mots du texte à leur équivalent en anglais.

1 à surmonter les obstacles
2 la page de couverture
3 vendu comme esclave
4 son évasion
5 dénoncer
6 retenir
7 s'élever contre
8 libérer
9 impuissant
10 s'impliquer dans

a sold as a slave
b powerless
c to free/liberate
d the front page
e to denounce/speak out about
f to stand up against
g his escape
h to become involved in
i to overcome the obstacles
j to retain/learn

Relis le texte. Termine les phrases suivantes en anglais.

1 Craig Kielburger founded *Enfants Entraide* with ▮▮▮.
2 The mission of *Enfants Entraide* is to ▮▮▮.
3 Craig read about the story of Iqbal Masih in ▮▮▮.
4 At four years old, Iqbal was ▮▮▮.
5 Iqbal escaped and travelled the world to ▮▮▮.
6 Iqbal was killed when he was the same ▮▮▮.
7 Craig learned that you're never too young or too small to ▮▮▮.
8 Craig's vision was to free children from ▮▮▮.
9 Today, more than a million young people are involved in ▮▮▮.

This text comes from the French Canadian website of Enfants Entraide, an NGO known in English as Free The Children. Even though you might not be able to understand it all, you can still get the meaning without looking up every word.

- *Do exercise 2 without a dictionary first.*
- *Look for words you recognise (especially cognates) and answer as many of the questions as possible.*
- *Only look up words you can't work out or ones you want to check the meaning of.*

Train yourself to work like this, and your reading skills will soon improve.

4 Imagine que tu es journaliste et que tu vas interviewer Craig Kielburger. Prépare au moins six questions pour Craig. Utilise les mots suivants.

Exemple: Quand est-ce que tu as fondé Enfants Entraide?

Quand ...? Avec qui ...?

Quel(le) est ...? Pourquoi ...?

Comment ...? À quel âge ...?

Combien de ...? Qu'est-ce que ...?

Studio Grammaire

ce qui ... and *ce que* ... mean 'what ...' or 'the thing(s) that ...'. You use them at the beginning of a sentence, to introduce a whole idea.
- Use *ce qui* ... when the next word is a verb or a direct object pronoun:
  Ce qui est *important pour moi, c'est ...*
  Ce qui me *préoccupe, c'est ...*
- Use *ce que* ... when the next word is a noun or a subject pronoun:
  Ce que Craig *veut changer dans le monde, c'est ...*
  Ce que je *trouve émouvant, c'est ....*

5 En tandem. Invente une interview avec Craig Kielburger. Utilise les questions que tu as préparées.

 Use your reading strategies to understand as much of the detail of the text as possible. Only use a dictionary to look up words you cannot work out in any other way.

6 Lis le texte et choisis la bonne réponse.

Qui était Iqbal Masih?

Iqbal Masih n'avait que quatre ans quand ses parents l'ont vendu à un fabricant de tapis. Il a rejoint les millions d'enfants exploités pour leurs petits doigts dans cette industrie cruelle. Pendant six ans, Iqbal a travaillé comme un esclave, les chevilles attachées par de lourdes chaînes.

Mais à dix ans, Iqbal a été découvert par Ehsan Khan, président de la Ligue contre le travail des enfants au Pakistan. «Il était tout maigre et ressemblait à un vieil homme.» a dit Ehsan. Ehsan Khan a réussi à libérer Iqbal et le garçon a rejoint le Front de libération du travail des enfants.

Iqbal a parcouru le monde pour dénoncer les conditions de travail inhumaines des millions d'enfants du Pakistan, de l'Inde et d'autres pays. «Nous nous levons à quatre heures du matin et travaillons enchaînés durant douze heures.» a expliqué Iqbal.

Sous pression internationale, le gouvernement pakistanais a fermé plusieurs fabriques de tapis et a libéré trois mille enfants de l'esclavage. Iqbal est rentré à son village, mais il est mort à douze ans, assassiné par la «mafia du tapis». «Il était si courageux.» a dit Ehsan Khan. La vie d'Iqbal Masih a été beaucoup trop courte, mais la lutte contre l'exploitation des enfants continue.

Iqbal Masih 1983–1995

1 Iqbal Masih était forcé à travailler pour ses parents/un fabricant de tapis.

2 Iqbal était attaché par des chaînes aux mains/pieds.

3 Quand Ehsan Khan a découvert Iqbal, il était en bonne santé/en mauvaise santé.

4 Ehsan a libéré Iqbal après six ans/huit ans d'esclavage.

5 Selon Iqbal, les enfants esclaves travaillent quatre/douze heures par jour.

6 Le gouvernement pakistanais a décidé d'arrêter l'exploitation des enfants/d'aider les fabricants de tapis.

7 Iqbal a été tué par des gens de son village/de la fabrication des tapis.

7 Quelle est ta réaction personnelle à l'histoire d'Iqbal Masih et pourquoi? Écris deux ou trois phrases.

Exemple:

Je trouve l'histoire d'Iqbal Masih ... parce que ...

Je parle

Your challenge!

What is important to you?

You want to be a contestant on a French reality-TV show. The producers have asked you to make a three-minute video presentation about what makes you tick. They want you to be positive. You really want to impress them.

Here are some ideas for what you might say:

- Give a few personal details (name, age, etc.).
- Say what's important to you in life and what makes you happy.
- Mention something that you have done that you were proud of.
- Mention something you will do one day.

Plan: Get your ideas down on paper.

Organise your ideas: What will you start with? What next? How will you finish?

Select: Choose the words and phrases you will need. Include some phrases with 'wow factor'.

Memorise: Rehearse what you are going to say and memorise it.

1 **Listen to Emma. Which sentences could she use in her presentation? There are two 'red herrings'. (1–8)**

Example: **1** ✓

2 **Write four sentences like Emma's that you could use in your own presentation. Use these prompts.**

prénom âge domicile passion

3 **Listen to Emma. Note down what's important to her and what makes her happy.**

4 **Think about five things that are important for you and one thing that makes you happy.**

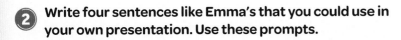

Ce qui est important pour moi dans la vie, c'est ...
Pour moi, le bonheur, c'est ...

5 **Listen to Emma talking about something she has done that she was proud of. Choose the correct words to fill in the gaps.**

J'ai toujours adoré la mer. Quand **1** ▮▮▮ petite, **2** ▮▮▮ les surfeurs et j'avais moi-même envie de surfer, alors à l'âge de sept ans, **3** ▮▮▮.

Au début, ça a été difficile, mais **4** ▮▮▮ on est discipliné et si on s'entraîne régulièrement, on peut **5** ▮▮▮ des progrès très rapidement.

L'année dernière, quand **6** ▮▮▮ à «l'opération surf», j'étais très fière parce qu'on a collecté de l'argent pour les animaux maltraités et j'adore les animaux. **7** ▮▮▮ pendant dix heures. **8** ▮▮▮ bien parce qu'on a collecté beaucoup d'argent, mais après, j'étais très fatiguée.

fier/fière proud

j'ai commencé   C'était   je regardais   j'étais   j'ai participé   Nous avons surfé   si   faire

6 Match up the French verbs with their English translations.

j'ai gagné	j'ai collecté	*I saw*	*I won*
j'ai vu	j'ai écrit	*I started*	*I took part*
j'ai participé	j'ai commencé	*I wrote*	*I collected*

7 Write a sentence about something you have done that you are proud of.

> *Quand j'ai ..., j'étais très fier/fière parce que ...*

8 Decode these sentences in the future tense. Then write a similar sentence for your presentation.

1 Un jour, j'irai en Guadeloupe où je ferai un «surf camp». Ce sera génial.

2 Un jour, je ferai le tour du monde. Ce sera super.

3 Un jour, j'irai aux États-Unis où je ferai un camp football. Ce sera cool.

4 Un jour, je serai pilote et je voyagerai partout dans le monde. Ce sera intéressant.

5 Un jour, j'irai au Sénégal où je travaillerai comme bénévole. Ce sera top.

9 Listen to Emma's whole presentation. Which of the words and phrases below does she use?

quand   où   qui   si   l'année dernière

mais   et   puisque   parce que   alors

10 Look back over the module and find some 'wow factor' structures you could use in your presentation.

11 Now draft your own presentation for the challenge.

- Check that what you have written is accurate and makes sense.
- Use the vocabulary and phrases you've collected in the previous exercises.

12 Now memorise your presentation and rehearse it!

> To make your sentences longer, use:
> - **qui** J'habite à Hossegor **qui** se trouve sur la côte atlantique de la France.
> - **si** **Si** on est discipliné et **si** on s'entraîne régulièrement, on peut faire des progrès très rapidement.
> - **où** Un jour, j'irai en Guadeloupe **où** je ferai un «surf camp».
>
> And make sure you include connectives, qualifiers and time markers.

> You can write your answer out in full first if you want to, but then try to reduce your content to key headings with prompts so that you are able to present your talk more naturally.
>
> The task very clearly prompts you to use different tenses:
> - Give a few personal details – name, age, etc. (present tense).
> - Say what's important to you in life and what makes you happy (present tense).
> - Mention something that you have done that you were proud of (past tense). You will score best here if you can use both the perfect AND the imperfect tenses.
> - Mention something you will do one day (future tense).

Studio Grammaire

Using different time frames

Which tense to use?

- You use the **present tense** to describe what you (or other people) **do** or **are doing**.

  Je **passe** des heures sur Facebook. I spend hours on Facebook.

  Qu'est-ce que tu **fais**? What are you doing?

  Je **commente** les photos de mes amis. I'm commenting on my friends' photos.

- You use the **perfect tense** to describe what you (or other people) **did** or **have done**.

  Le weekend dernier, j'**ai pris** le bus et je **suis allé (e)** en ville.

  Last weekend, I took the bus and I went into town.

  Tu **as fini**? Oui, j'**ai fini**. Have you finished? Yes, I've finished.

- You use the **future tense** to describe what you (or other people) **will do** in the future.

  Je **mangerai** cinq portions de fruits par jour. I will eat five portions of fruit per day.

- You use the **imperfect tense** to describe what you **used to do** or what you **used to be like**.

  Quand j'**étais** petit, j'**adorais** faire des gâteaux. When I was little, I used to love making cakes.

Look at the verb tables on pages 128–130 to remind yourself how each tense is formed.

1 Which tense is needed in each gap? Write PR for present, PER for perfect, FUT for future or IMP for imperfect. Use the time expressions and context to help you decide.

Normalement, le samedi soir, je **1** ▇ au cinéma avec mes amis. Après, on **2** ▇ un hamburger ou quelquefois, on **3** ▇ au babyfoot. Mais samedi dernier, j'**4** ▇ quelque chose de différent: je **5** ▇ à un concert de rock. C'était génial. Quand j'étais petite, je n'**6** ▇ pas le droit de sortir avec mes copains parce que j'**7** ▇ trop jeune. Mais maintenant, j'ai le droit de sortir si mes parents savent avec qui je suis. Dimanche dernier, je suis restée chez moi et j'**8** ▇ de la musique, puis j'ai fait mes devoirs.

L'année prochaine, en mars, j'**9** ▇ à un autre concert de rock: Motörhead, cette fois. Ce **10** ▇ super.

Colette

2 Fill in each gap in exercise 1 using a verb from the list that makes sense.

ai fait irai avais étais sera

mange joue vais suis allée ai écouté

3 Put the verbs in brackets into the imperfect tense, then translate the passage into English.

Quand j' **1** (être) petite, j' **2** (adorer) la série des Indiana Jones. J' **3** (aimer) aussi beaucoup les légendes et les mythes. Je **4** (vouloir) absolument trouver des trésors. Je **5** (surfer) tout le temps sur Internet pour avoir des renseignements et je **6** (faire) des fouilles dans mon jardin! Tous les weekends, j' **7** (aller) au musée d'archéologie en ville et je **8** (participer) à des fouilles pendant les grandes vacances. Ça me **9** (fasciner), c' **10** (être) ma passion! Et maintenant, j'ai beaucoup de chance, parce que je suis archéologue!

Sofia

la fouille archaeological dig

4 Change the time frame of this text from the future to the past, by putting the underlined verbs into the perfect tense. Start like this:

> *L'année dernière, j'ai fait au moins ...*

Cette année, je <u>ferai</u> au moins trente minutes d'exercice par jour. D'abord, j'<u>irai</u> au collège à pied et je <u>ne prendrai pas</u> le bus. Je <u>prendrai</u> les escaliers au lieu de prendre l'ascenseur et le soir, je <u>jouerai</u> au foot au lieu de jouer à des jeux vidéo. Ensuite, je <u>mangerai</u> équilibré. Je <u>ne mangerai plus</u> de frites et je <u>ne mangerai pas</u> de sucreries. Je <u>boirai</u> aussi beaucoup d'eau. Gabriel

5 Now imagine Gabriel is writing an article for a magazine, talking about his daily routine. Use the present tense and start like this:

> *Tous les jours, je fais au moins ...*

6 Look carefully at the context and put the verbs in brackets into the correct tense.

Normalement, nous ❶ (*aller*) en vacances à la montagne parce que mon frère et moi ❷ (*aimer*) faire de l'escalade. L'année dernière, nous ❸ (*faire*) un stage d'alpinisme et c'était génial. Quand on est à la montagne, on ❹ (*se baigner*) tous les jours dans le lac, alors je ❺ (*prendre*) mon maillot de bain et une serviette. Le soir, on ❻ (*rentrer*) à l'hôtel, puis on ❼ (*sortir*) manger au restaurant.

Mais cette année, on n' ❽ (*aller*) pas à la montagne: on ❾ (*aller*) à la mer en Espagne. On ❿ (*voyager*) en voiture, donc je ⓫ (*prendre*) mon mp3. Quelquefois en Espagne il y a du vent, alors je ⓬ (*prendre*) un pull et un bonnet!

- Re-read the paragraph about tenses at the top of page 114 before you start.
- Look at the time markers to help you decide which tense you need to use.
- Check the verb forms for each tense in the verb tables on pages 128–130 if you need to.

un bonnet *a hat*

Direct object pronouns

You can replace the object of a sentence with a direct object pronoun. In French, direct object pronouns go **in front of the verb**.

me	me	*nous*	us
te	you	*vous*	you
le/l'	him/it	*les*	them
la/l'	her/it		

7 Copy out these sentences. Underline the direct object pronoun(s), then translate the sentences into English.
1 *Qu'est-ce qui te rend heureux?*
2 *Qu'est-ce qui vous préoccupe dans la vie?*
3 *Ce qui me préoccupe, c'est l'état de la planète.*
4 *Si un produit est écolo, je l'achète.*
5 *Si je les aime, je les achète.*

8 Translate these sentences into French.
1 I like them.
2 She hates him.
3 I watch them.
4 He likes us.
5 You look at her.
6 I think he's nice.

For 'I think he's nice', use the verb **trouver**.

Vocabulaire

Mes droits • *My rights*

J'ai le droit de/d'…	*I am allowed to …*
aller au MacDo avec mes copains	*go to McDonald's with my friends*
aller sur des forums	*go onto forums*
aller sur Facebook	*go on Facebook*
jouer à des jeux vidéo	*play video games*
regarder la télé jusqu'à onze heures du soir	*watch TV until 11 pm*
sortir avec mes copains le weekend	*go out with my friends at the weekend*
sortir seul(e)	*go out by myself*
surfer sur Internet une heure par jour	*surf the net for one hour per day*

Les conditions • *Conditions*

si j'ai aidé à la maison	*if I have helped around the house*
si j'ai fini mes devoirs	*if I have finished my homework*
si j'ai mon portable sur moi	*if I have my phone on me*
si je rentre avant dix heures du soir	*if I get back before 10 pm*
si je veux	*if I want*
si mes parents savent avec qui je suis	*if my parents know who I am with*
si mes parents savent où je vais	*if my parents know where I am going*

Les réactions • *Reactions*

Mais ce n'est pas juste!	*But it's not fair!*
C'est tout à fait normal.	*That's quite right.*
Ce n'est pas du tout normal.	*That's not right at all.*
C'est fou!	*That's crazy!*
On te traite comme un enfant.	*They are treating you like a child.*
Mais révolte-toi!	*Rebel!*
Tes parents exagèrent!	*Your parents are going too far!*

Les expressions avec *avoir* • *Expressions with avoir*

avoir envie de	*to want to*
avoir faim	*to be hungry*
avoir le droit de	*to be allowed to (literally: to have the right to)*
avoir raison	*to be right*
avoir soif	*to be thirsty*
avoir tort	*to be wrong*
en avoir marre de	*to be fed up of*

Qu'est-ce qui est important pour toi dans la vie? • *What is important for you in life?*

Ce qui est important pour moi, c'est …	*What is important for me is …*
Qu'est-ce qui te préoccupe dans la vie?	*What worries you in life?*
Ce qui me préoccupe, c'est …	*What worries me is …*
l'argent (m)	*money*
la cruauté envers les animaux	*cruelty to animals*
l'état de la planète	*the state of the planet*
mes études (fpl)	*my studies*
la faim dans le monde	*hunger in the world*
l'injustice (f)	*injustice*
la musique	*music*
la pauvreté dans le monde	*poverty in the world*
ma santé	*my health*
la violence	*violence*
le racisme	*racism*

Des verbes utiles • *Useful verbs*

acheter	*to buy*
adopter	*to adopt*
agir	*to act*
consommer	*to consume*
énerver	*to get on someone's nerves*
exploiter	*to exploit*
fabriquer	*to make*
faire attention	*to pay attention*
devenir membre	*to become a member*
participer (à)	*to take part (in)*
penser	*to think*
protéger	*to protect*
respecter	*to respect*

Faire des achats • *Shopping*

bon marché	*cheap*
le commerce équitable	*fair trade*
les conditions de travail	*working conditions*
écolo	*green*
l'éthique sur l'étiquette	*ethical labelling*
l'ouvrier/ouvrière	*worker*
le produit	*product*

Qu'est-ce que c'est pour toi, le bonheur? • *What does happiness mean for you?*

Qu'est-ce qui te rend heureux/heureuse?	*What makes you happy?*
Ce qui me rend heureux, c'est de/d' (+ infin)	*What makes me happy is to …*
Ce qui me rend heureux, c'est le/la/les (+ noun)	*What makes me happy is …*
Le bonheur, c'est quand …	*Happiness is when …*
accro	*hooked*
l'amitié (f)	*friendship*
apprécier	*to appreciate*
déprimé(e)	*depressed*
décédé(e)	*passed away/deceased*
oublier	*to forget*
rester au lit	*to stay in bed*
réussir	*to succeed*
se retrouver	*to meet up*
se sentir	*to feel*
rigoler	*to have fun (informal)*

Les mots essentiels • *High-frequency words*

à mon avis	*in my opinion*
au lieu de	*instead of*
avant tout	*above all*
comment	*how*
complètement	*completely*
être d'accord	*to agree*
franchement	*frankly*
malheureusement	*unfortunately*
malgré	*in spite of*
même	*even*
plein de	*loads of*
pour (+ infin)	*in order to*
pourtant	*however*

Recopie ces invitations correctement. Fais correspondre les textes et les images.

1 Ça va, Clara? T'es invitée à sortir avec ma famille et moi cet après-midi. On va faire un piquenique sur la plage. Tu veux nous accompagner?

2 Salut, Alyzée. Qu'est-ce que tu fais demain soir? On va aller à un match de volley. Ça t'intéresse?

3 Coucou, Gabriel. Qu'est-ce que tu fais samedi matin? Je vais aller en ville. Tu viens avec moi?

4 Salut, Lara. Je vais aller à la patinoire, dimanche soir. Ça t'intéresse?

5 T'es libre, ce soir? Mon frère Rico et moi voulons aller au cinéma. Tu viens avec nous?

6 Salut, Malik! Je vais aller à une fête d'anniversaire, demain soir. C'est la fête de ma meilleure copine, Lou-Anne. Tu veux m'accompagner?

a

b

c

d

e

f

Écris deux invitations suivant les modèles de l'exercice 1. Change l'activité et le jour ou l'heure à chaque fois.

Lis le texte. Termine les phrases en anglais.

Tu aimes Facebook?

Facebook, c'est le réseau social le plus populaire au monde avec 600 millions de membres en 2010. C'est aussi l'un des sites Internet les plus visités au monde.

Avec Facebook, on peut se connecter facilement avec ses amis, sa famille, les amis de ses amis ...

L'utilisateur moyen a 130 amis, reste plus de 55 minutes par jour sur Facebook et clique neuf fois par jour sur le bouton «j'aime».

Beaucoup de gens disent que Facebook est une perte de temps mais Facebook a complètement transformé notre manière de communiquer.

En France, il y a plus de 15 millions de personnes qui utilisent Facebook.

En 2008, Mark Zuckerberg, le fondateur de Facebook, était le plus jeune milliardaire de la planète.

1 Facebook is the most popular social network in the world, with ▇▇▇.

2 With Facebook, you can easily connect with your ▇▇▇, ▇▇▇ and ▇▇▇.

3 The average user has ▇▇▇.

4 The average user spends more than ▇▇▇.

5 Facebook has changed our way of ▇▇▇.

6 In 2008, Mark Zuckerberg was the youngest ▇▇▇.

Lis le texte et réponds aux questions. C'est Thomas ou Adeline? Écris T, A ou T + A.

Le «Blind Date» de Thomas et Adeline

Adeline sur Thomas

Prénom: Adeline
Âge: 19
Domicile: Tours
Profession: Webdesigner

Thomas sur Adeline

Prénom: Thomas
Âge: 20
Domicile: Orléans
Profession: Étudiant

Alors, qu'est-ce que vous avez fait?
On est allés à un concert et Thomas a acheté un tee-shirt. Après, on a mangé un hamburger.

C'était comment?
C'était trop cool. Le concert était super. J'ai adoré! On a beaucoup dansé et puis après, nous sommes allés au MacDo et on a discuté.

Comment est-ce que tu trouves Thomas?
Je le trouve très drôle. Il est vraiment charmant et aussi très généreux. Nous avons beaucoup de choses en commun.

Vous allez sortir ensemble une deuxième fois?
Oui, la semaine prochaine, on va jouer au bowling. D'habitude, je n'aime pas trop le bowling, mais je pense que si j'y vais avec Thomas, on va rigoler! Thomas a déjà mon numéro de téléphone et mon adresse e-mail et j'espère qu'après le bowling, on va regarder un DVD ensemble!

Alors, qu'est-ce que vous avez fait?
On est allés à un concert de rock ensemble et puis au fastfood.

C'était comment?
Normalement, je n'aime pas trop le rock, mais avec Adeline, c'était sympa. Le concert était géant et l'ambiance était fantastique. J'ai même acheté un tee-shirt!

Comment est-ce que tu trouves Adeline?
Je la trouve très bien. Elle est jolie et elle aime bavarder. Moi aussi, d'ailleurs!

Vous allez sortir ensemble une deuxième fois?
Oui, la semaine prochaine, on va jouer au bowling. On va rigoler!

Qui ...

1 n'est pas méga-fan de rock?
2 a acheté un tee-shirt au concert?
3 mentionne le fastfood?

4 n'aime pas le bowling en général?
5 a les coordonnées de l'autre?
6 pense que le bowling va être amusant?

> **les coordonnées**   contact details

Relis le texte et trouve les verbes:

au présent (13)

au passé composé (11)

au futur proche (7)

> *Use the questions from the text in exercise 1 for your task. Make sure you are answering in the correct tense. Look through Module 1 for ideas for your blind-date interviews. Did everything go horribly wrong? Or were they perfectly matched? You decide!*

Invente deux interviews pour un «blind date».

Lis les textes et note le bon prénom.

Moi, je suis fanatique d'informatique. Le fitness ne m'intéresse pas du tout. Hier soir, par exemple, j'ai passé quatre heures devant mon écran. Et alors? J'ai appris plein de choses. J'ai fait de la lecture, ensuite j'ai regardé des clips vidéo et puis j'ai posté des photos sur Facebook. Je ne suis pas très actif, mais je mange assez sain, cinq portions de fruits ou de légumes par jour etc., et je bois beaucoup d'eau. Je n'irai jamais dans une salle de sport parce que ça ne m'intéresse pas. Il ne faut pas me critiquer. Je suis comme je suis.

David

Moi, je suis passionné de basket. J'en fais depuis trois ans. Je me lève tous les jours à six heures et demie du matin et je fais une heure d'entraînement avant le collège. Le weekend, j'ai des matchs. Le weekend dernier, par exemple, j'ai fait deux compétitions, et on a gagné. C'est super, quand on gagne, j'adore ça.
Pour avoir du succès dans le domaine du sport, il faut être discipliné et il faut aimer la compétition. J'aime beaucoup le sport parce que je crois qu'il faut apprendre à suivre les règles, c'est important dans la vie.
Un jour, je serai prof de sport et je serai coach d'une équipe de basket. Mon équipe gagnera aux Jeux olympiques et ce sera le plus beau jour de ma vie!

Serafino

1 Il préfère son ordinateur au fitness.

2 Il est très sportif.

3 Le weekend dernier, il a participé à deux concours.

4 Il a surfé sur Internet hier soir.

5 Il ne fait pas beaucoup d'activité physique, mais il mange équilibré.

6 Un jour, il travaillera dans le domaine du sport.

Écris un paragraphe pour chaque personne.

Exemple:

> Je m'appelle Axel. Je n'aime pas trop le sport mais je veux
> être en forme, alors voici mes résolutions pour l'avenir.
> Premièrement: j'irai …

Axel

Sierra

Gilles

Bien dans sa peau

1 Lis l'interview avec Mathilde Bergeron. Copie et complète la fiche.

Mathilde Bergeron: pentathlète française, double championne du monde et triple championne d'Europe

Parlez-nous de votre programme, Mathilde.
Avec cinq disciplines, j'ai des journées chargées. Je m'entraîne de 9h30 à 12h30 et je reprends de 15h45 à 19h. On fait en priorité course et natation, ensuite l'escrime, quatre séances de musculation et de préparation physique, deux séances de tir et deux séances d'équitation par semaine.

Vous vous préparez pour quel championnat, en ce moment?
Je me prépare pour les championnats d'Europe. Je m'entraîne à Paris, à l'Institut National des Sports et de l'Éducation Physique. Aujourd'hui, au programme, on a le combiné (c'est-à-dire, la course et le tir au pistolet) et l'équitation.

Avez-vous une discipline préférée?
L'escrime, sans aucun doute.

Quelles sont vos ambitions pour cette année?
Le plus important cette année est de me qualifier pour les Jeux olympiques. Pour ces JO, je vais travailler avec un entraîneur pour chaque discipline. En ce qui concerne l'escrime, par exemple, je m'entraîne avec l'équipe de France féminine.

Vous êtes déjà une formidable championne. Qu'avez-vous à prouver?
À chaque sortie, j'ai des choses à me prouver. Il ne faut jamais croire que tout est acquis. Je vais me donner à fond pour remplir les objectifs que je me fixe.

Le pentathlon moderne combine cinq sports différents:

la course — l'escrime — le tir au pistolet — l'équitation — la natation

à chaque sortie	*at each outing*
acquis	*accomplished*
je vais me donner à fond	*I am going to give my all*

Sports pratiqués:.................................
Programme d'entraînement:................
Se prépare pour:................................
Discipline préférée:.............................
Ambitions pour l'année:........................
Choses à prouver:...............................

 2 Écris une interview avec Djamel Monfils (un triathlète imaginaire). Utilise les renseignements suivants et invente d'autres choses si tu veux.

Sports pratiqués: la natation en eau libre, la course, le vélo
Programme d'entraînement: 9h-12h et 14h30-18h
une heure de natation, une séance de musculation par jour
trois séances de vélo, deux séances de course à pied par semaine
Se prépare pour: le triathlon de Saint-Cyr sur Mer
Discipline préférée: le vélo
Ambitions pour l'année: participer à quatre triathlons
Choses à prouver: améliorer sa performance, se donner à fond pour remplir ses objectifs

3 À toi A

À l'horizon

Lis les textes et réponds aux questions. Utilise un dictionnaire, si nécessaire.

 Plus tard dans la vie, je veux être chef cuisinier, car j'adore cuisiner. Ma spécialité, ce sont les plats tunisiens et un jour je veux avoir mon propre restaurant. Mon père est comptable, mais ça ne m'intéresse pas du tout comme profession, parce que je trouve les chiffres ennuyeux. *Abdoul*

 Ma passion, c'est voyager et j'aime aussi aider les autres. Alors, je veux être accompagnatrice de voyages. Ce serait mon rêve de travailler en Espagne, puisque je suis allée à Madrid l'année dernière et j'ai trouvé ça génial. Je ne veux pas être secrétaire, parce que je n'aime pas travailler avec les ordinateurs. *Maëlys*

 Moi, je veux être professeur d'EPS, parce que j'aime travailler avec les enfants et je suis accro au sport! Il faut aussi avoir beaucoup de patience et je suis très patiente. Ça ne m'intéresse pas de travailler dans un magasin, car je préfère être active et garder la forme. *Jade*

Qui …

1 veut travailler dans un collège?
2 veut travailler à l'étranger?
3 aime préparer des repas?
4 veut faire un travail actif?
5 ne veut pas utiliser la technologie au travail?
6 ne veut pas faire la même profession que son père?

Écris un paragraphe pour Vincent, en utilisant les renseignements suivants.

job he wants to do	reason(s)	job he doesn't want to do	reason(s)

 *To reach a higher level, use **ce serait …** (that would be …) and include an example of the perfect tense (e.g. **l'année dernière, j'ai travaillé/fait …**).*

Lis et copie le texte dans le bon ordre. Puis traduis le texte.

doit souvent parler avec des touristes de différentes nationalités. Ou si on veut

Bretagne, parler une langue étrangère, c'est important. Par exemple, si

ou stewardess à bord d'un avion, parler une langue étrangère, c'est essentiel.

on veut être guide touristique à Londres ou dans une autre grande ville, on

Si on veut travailler dans le tourisme ou l'hôtellerie en Grande-

une autre langue, c'est un plus. Et bien sûr, si on veut être steward

Lis le texte et choisis les bonnes réponses. Utilise un dictionnaire, si nécessaire.

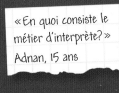

«En quoi consiste le métier d'interprète?»
Adnan, 15 ans

Noémie, 26 ans, interprète, répond:

«Je parle quatre langues: français, anglais, italien et russe. Mon travail consiste à traduire des discussions entre des gens qui ne parlent pas la même langue. La plupart du temps, j'assiste à des réunions entre chefs d'entreprise internationaux, mais de temps en temps aussi je travaille au festival du film de Cannes, où je traduis pour des acteurs et des metteurs en scène qui ne parlent pas français. Ce que j'apprécie surtout dans mon travail, c'est que je rencontre beaucoup de gens. Pour devenir interprète, il faut parler couramment au moins trois langues (y compris sa langue maternelle) et avoir fait un bac de langues au lycée. C'est aussi un plus si on a beaucoup voyagé.»

le bac   *exam taken by French school pupils at 17 or 18*

1   Noémie travaille comme professeur/ interprète/médecin.

2   Elle traduit des livres/des émissions de télé/des conversations.

3   Ses clients sont des chefs d'entreprise/des avocats/ des chefs de cuisine.

4   Dans son travail, elle rencontre beaucoup de gens/de jeunes/ d'enfants.

5   Pour devenir interprète, il faut étudier les maths/les langues/les sciences au lycée.

6   Si on a beaucoup voyagé/rigolé/acheté, c'est un avantage.

Lis le texte et note vrai (V) ou faux (F).

Quand j'étais plus jeune, je n'aimais pas beaucoup le collège: je trouvais ça un peu ennuyeux et je n'avais pas de bonnes notes. La seule chose qui m'intéressait au collège, c'était le club de théâtre, car j'adorais inventer et jouer différents rôles. En dehors du collège, ma passion, c'était le cinéma. J'y allais une ou deux fois par semaine et je regardais aussi plein de films en DVD. Puis, quand j'avais quatorze ans, mes parents m'ont acheté un caméscope et j'ai commencé à tourner de petits films: j'écrivais le script et je donnais tous les rôles à mes copains. L'année dernière, j'ai gagné le premier prix dans un concours pour jeunes réalisateurs de films amateurs, et j'ai donc décidé que je veux être réalisateur de film professionnel. Dans deux ans, j'irai à l'EICAR, à Paris, pour étudier la réalisation de film. Ce serait mon rêve de travailler à Hollywood un jour! **Damien**

EICAR   *École Internationale de Création Audiovisuelle et de Réalisation*

1   Damien était bon élève au collège.

2   Il aimait faire du théâtre.

3   Il a reçu un caméscope de ses parents.

4   Il a gagné un concours de chant.

5   Son ambition est d'être acteur professionnel.

6   Il étudiera la réalisation de film à Paris.

Imagine que tu es Antoine. Adapte le texte de l'exercice 2, en utilisant les idées suivantes.

Exemple: Quand j'étais plus jeune, j'aimais le collège …

plus jeune:	en dehors du collège:	1 ou 2 x par mois:	13 ans:	année dernière:	ambition:	dans 3 ans:	rêve:

 Lis les textes et regarde les images. Copie et complète le tableau avec les bonnes lettres.

Salut! Je suis en vacances avec ma famille en Espagne. Il fait très chaud et je me baigne tous les jours dans la mer. Mardi, j'ai fait du ski nautique, mais c'était trop difficile pour moi. Pourtant, hier, j'ai fait un stage de plongée et j'ai trouvé ça génial. Demain, nous ferons de la voile.
Solène

Coucou! Je suis en colo en Suisse, à la montagne. On peut faire toutes sortes d'activités, ici. J'ai déjà fait de l'escalade (c'était trop cool!). Jeudi prochain, on ira en minibus à un grand lac où on fera du canoë-kayak. Ce sera super! On fait du camping, mais on mange à la cantine.
Alban

Me voici chez mes grands-parents en Normandie et je m'amuse bien! Je fais de longues randonnées à la campagne et je prends beaucoup de photos. Cet après-midi, j'irai à la pêche avec mon grand-père. J'ai aussi rencontré une fille sympa: elle s'appelle Laura et elle est belge.
Jérémy

a  **b** 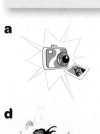 **c**

d   **e**  **f**

g **h**  **i**

j **k**

	présent	*passé*	*futur*
Solène	b		

 Écris des cartes postales pour Tariq et Cassandra. Invente les destinations et utilise les idées dans le tableau.

	présent	*passé*	*futur*
Tariq			
Cassandra			

Make sure you use the right tense of each verb.

To add interest to your writing, include:
- opinions
- time/frequency expressions
- examples of the **on** or **nous** form of the verb.

1 Lis le texte et note vrai (V) ou faux (F).

Colonie de vacances «Ma belle Corse»

Si tu as entre 14 et 18 ans et que tu veux profiter du soleil et des belles plages de la Corse, voici la colo idéale pour toi!

HÉBERGEMENT
Tu sera hébergé(e) au Camping des Sables Blancs (un camping 3 étoiles) sous des tentes de 4 places. Le camping est équipé de deux blocs sanitaires, d'un restaurant self et d'un grand espace de jeux.

ACTIVITÉS
Grâce à la situation géographique du camping et à la proximité de la plage (200 m), tu pourras pratiquer au choix: le ski nautique, le catamaran ou la planche à voile (séance de 2 heures). Tu feras aussi un stage de plongée avec nos moniteurs professionnels. Nous prendrons le bateau à 11h00 et après une petite promenade en mer de 20 minutes, nous arriverons sur le site de plongée. Chaque participant plongera 30 minutes accompagné de son moniteur de plongée. Le reste du temps, nous nagerons et observerons les poissons autour du bateau. Tout le matériel nécessaire (masque, palmes, tuba) te sera fourni gratuitement.

À la fin de ton séjour, tu passeras une journée entière au parc aquatique de l'Aquadôme, qui est pourvu de 6 toboggans géants pour 500 mètres de glissade. Sensations fortes garanties! Le soir aussi, tu ne manqueras pas de t'amuser: barbecue sur la plage, soirée pizza, chants, tournois de jeux de société et soirée dansante.
Alors, à bientôt en Corse!

www.macolo.com

1 Tu peux participer à la colo si tu as treize ans.
2 Il faut partager une tente avec deux autres personnes.
3 Le camping est près de la plage.
4 Une séance de planche à voile dure deux heures.
5 Pour faire le stage de plongée, il faut prendre un bateau.
6 Il faut payer pour le matériel de plongée.
7 Tu passeras une journée au parc aquatique.
8 Il n'y a pas grand-chose à faire le soir.

2 Imagine que tu es en vacances à la colo «Ma belle Corse». Décris ton séjour.
- Structure your ideas: beginning, middle, end.
- Refer to the present, past and future.
- Include opinions and reasons.
- Link sentences and paragraphs (e.g. using connectives).
- Use or adapt language from the text.
- Check and redraft what you have written.

3 Écris de la publicité pour une autre colonie de vacances. Utilise les renseignements suivants. Adapte le texte de l'exercice 1.

Location: les Alpes
Hébergement: l'auberge de jeunesse «L'Aigle d'or» (cantine, salle de jeux)
Situation: dans les Alpes
Activités: escalade, tir à l'arc, canoë (1 heure)
Stage de ski: bottes et skis fournis gratuitement
Excursion: patinoire «La grande Glisse»
Activités du soir: cinéma, quiz musical, soirée fondue

1 Trouve un copain/une copine britannique pour chaque Français(e).

 Be careful! There are two British people too many.

www.trouvedesamis.fr

J'adore les animaux et ma priorité, ce sont les animaux en voie d'extinction, comme le panda et l'ours polaire. **Mélissa**

Mes priorités sont mes études et l'argent. Plus tard, dans la vie, je voudrais être pilote, parce que c'est une profession bien payée. **Najim**

Pour moi, le bonheur, c'est de sortir avec mes amis. Aller à des concerts, danser, bien rigoler, quoi! **Éloïse**

Mes priorités sont ma famille et mes amis. Je n'aime pas du tout l'état de la planète. À mon avis, il faut recycler plus et acheter des produits écolos. **Abel**

Pour moi, le bonheur, c'est d'être active! Je suis membre d'un club de gym et je fais du sport quatre fois par semaine. **Irina**

Amy — I love going shopping, but I always try to buy green products.

Matthew — I'm really into keep-fit activities, like judo, swimming and aerobics.

Ahmed — I like staying at home, watching TV or playing computer games.

Jade — I want to be able to afford the good things in life: holidays, nice clothes, eating out.

Sunita — I think it's more important to give to charity than to spend money on yourself.

Lewis — I'm a member of the WWF. One day, I'd like to go to India and see tigers in the wild.

Katia — I'm not one for staying at home: I'm a party animal! I love going out and having a good time.

2 Écris des e-mails à trouvedesamis.fr pour Ludo et Malika.

Ludo

Malika

To reach a higher level, include an example of the perfect tense and/or the future tense.

3 Tu aimerais être ami(e) avec quelle personne de l'exercice 1? Pourquoi? Tu ne voudrais pas être ami(e) avec qui?

Exemple:

J'aimerais/Je ne voudrais pas être ami(e) avec … parce que …

Je le/la trouve …

Ce qui est important pour moi/Ce qui me préoccupe/Pour moi, le bonheur, c'est …

1 Copie et complète le texte avec les verbes des cases.

Je m'appelle Benjamin et je **1** ▆▆▆ du Cameroun. Comme tous les jeunes de mon pays, je **2** ▆▆▆ fou de foot! Je **3** ▆▆▆ pour l'équipe junior de ma ville et un jour, je **4** ▆▆▆ être footballeur professionnel. J' **5** ▆▆▆ toujours voulu faire ça, mais je sais que ce ne **6** ▆▆▆ pas facile. Il faut **7** ▆▆▆ beaucoup de détermination et, bien sûr, beaucoup de talent! En plus, il faut garder la forme, alors, quand on ne s'entraîne pas, je **8** ▆▆▆ du jogging autour de la ferme de mes parents. Le foot, c'est ce qui me **9** ▆▆▆ le plus heureux, parce que j'aime être actif et **10** ▆▆▆ en équipe.

| avoir | joue | fais | veux | ai | travailler | rend | suis | viens | sera |

2 Imagine que tu es Julie. Ta passion, c'est la musique pop. Adapte le texte de l'exercice 1, en utilisant les renseignements suivants.

Prénom: Julie
Pays: la Belgique
Passion: la musique pop (chante dans un groupe amateur)
Ambition: chanteuse
Qualités requises: avoir ambition, une belle voix, répéter beaucoup
Passetemps: la natation, le basket
Bonheur: la musique, les amis, chanter ensemble

> **!** *Make sure you use the correct adjectival agreement, e.g. **fou/folle; professionnel/...?; heureux/...?***

3 Lis le texte et complète les phrases en anglais. Utilise un dictionnaire, si nécessaire.

La Sénégazelle, qu'est-ce que c'est?

La Sénégazelle est une course à pied humanitaire. Son but est de distribuer du matériel scolaire dans des écoles du Sénégal, en Afrique.

C'est aussi une épreuve sportive uniquement féminine. Tous les ans, 40 «gazelles» participent à cette course extraordinaire.

Avant de partir, chaque participante doit rassembler les fournitures scolaires (règles, cahiers, stylos, crayons – même des craies et des ardoises à l'ancienne) qu'elle distribuera aux élèves sénégalais. Normalement, ce matériel est donné gratuitement par des collèges et des commerces locaux.

La course se déroule en cinq étapes. Une fois arrivées au Sénégal, les gazelles doivent courir entre huit et treize kilomètres chaque jour, pour se rendre dans divers villages.

Bien sûr, les coureuses se sont beaucoup entraînées pour ça en France, mais les conditions au Sénégal sont complètement différentes à cause de la chaleur.

Néanmoins, chaque gazelle est naturellement fière d'y avoir participé et dit que c'était une expérience inoubliable.

> **!** *The word **course** is a false friend. It means 'race' in French and is linked to the verb **courir** (to run).*

1 The Sénégazelle is a ▆▆▆.

2 Its aim is to distribute ▆▆▆.

3 Every year, 40 'gazelles' ▆▆▆.

4 Before leaving, each participant has to collect ▆▆▆.

5 This material is usually donated by ▆▆▆.

6 Once they have arrived in Senegal, the 'gazelles' have to ▆▆▆.

7 They have done a lot of training in France, but ▆▆▆.

8 Nevertheless, each 'gazelle' is proud to have taken part and says ▆▆▆.

Verb tables

Regular –er, –ir, –re verbs

infinitive	present tense		perfect tense	future tense	imperfect tense
regarder to watch	je regard**e** tu regard**es** il/elle/on regard**e**	nous regard**ons** vous regard**ez** ils/elles regard**ent**	j'**ai** regard**é**	je regarder**ai**	je regard**ais**
finir to finish	je fin**is** tu fin**is** il/elle/on fin**it**	nous fin**issons** vous fin**issez** ils/elles fin**issent**	j'**ai** fini	je finir**ai**	je finiss**ais**
vendre to sell	je vend**s** tu vend**s** il/elle/on vend	nous vend**ons** vous vend**ez** ils/elles vend**ent**	j'**ai** vend**u**	je vendr**ai**	je vend**ais**

Reflexive verbs

infinitive	present tense		perfect tense	future tense	imperfect tense
se doucher to shower	je **me** douche tu **te** douch**es** il/elle/on **se** douche	nous **nous** douch**ons** vous **vous** douch**ez** ils/elles **se** douch**ent**	je **me suis** douch**é(e)**	je **me** doucher**ai**	je **me** douch**ais**

Key irregular verbs

infinitive	present tense		perfect tense	future tense	imperfect tense
aller to go	je **vais** tu **vas** il/elle/on **va**	nous **allons** vous **allez** ils/elles **vont**	je **suis allé(e)**	j'**irai**	j'all**ais**
avoir to have	j'**ai** tu **as** il/elle/on **a**	nous **avons** vous **avez** ils/elles **ont**	j'**ai eu**	j'aur**ai**	j'av**ais**
boire to drink	je **bois** tu **bois** il/elle/on **boit**	nous **buvons** vous **buvez** ils/elles **boivent**	j'**ai bu**	je boir**ai**	je buv**ais**
être to be	je **suis** tu **es** il/elle/on **est**	nous **sommes** vous **êtes** ils/elles **sont**	j'**ai été**	je ser**ai**	j'ét**ais**
faire to do/ make	je **fais** tu **fais** il/elle/on **fait**	nous **faisons** vous **faites** ils/elles **font**	j'**ai fait**	je fer**ai**	je fais**ais**

More irregular verbs

infinitive	present tense		perfect tense	future tense	imperfect tense
acheter to buy	j'**achète** tu **achètes** il/elle/on **achète**	nous **achetons** vous **achetez** ils/elles **achètent**	j'**ai acheté**	j'ach**è**ter**ai**	j'achet**ais**
courir to run	je **cours** tu **cours** il/elle/on **court**	nous **courons** vous **courez** ils/elles **courent**	j'**ai couru**	je courr**ai**	je cour**ais**
croire to believe	je **crois** tu **crois** il/elle/on **croit**	nous **croyons** vous **croyez** ils/elles **croient**	j'**ai cru**	je croir**ai**	je croy**ais**
dire to say	je **dis** tu **dis** il/elle/on **dit**	nous **disons** vous **dites** ils/elles **disent**	j'**ai dit**	je dir**ai**	je dis**ais**
dormir to sleep	je **dors** tu **dors** il/elle/on **dort**	nous **dormons** vous **dormez** ils/elles **dorment**	j'**ai dormi**	je dormir**ai**	je dorm**ais**
écrire to write	j'**écris** tu **écris** il/elle/on **écrit**	nous **écrivons** vous **écrivez** ils/elles **écrivent**	j'**ai écrit**	j'écrir**ai**	j'écriv**ais**
envoyer to send	j'**envoie** tu **envoies** il/elle/on **envoie**	nous **envoyons** vous **envoyez** ils/elles **envoient**	j'**ai envoyé**	j'enverr**ai**	j'envoy**ais**
essayer to try	j'**essaie** tu **essaies** il/elle/on **essaie**	nous **essayons** vous **essayez** ils/elles **essaient**	j'**ai essayé**	j'essaier**ai**	j'essay**ais**
lire to read	je **lis** tu **lis** il/elle/on **lit**	nous **lisons** vous **lisez** ils/elles **lisent**	j'**ai lu**	je lir**ai**	je lis**ais**
manger to eat	je **mange** tu **manges** il/elle/on **mange**	nous **mangeons** vous **mangez** ils/elles **mangent**	j'**ai mangé**	je manger**ai**	je mange**ais**
mettre to put/put on	je **mets** tu **mets** il/elle/on **met**	nous **mettons** vous **mettez** ils/elles **mettent**	j'**ai mis**	je mettr**ai**	je mett**ais**
ouvrir to open	j'**ouvre** tu **ouvres** il/elle/on **ouvre**	nous **ouvrons** vous **ouvrez** ils/elles **ouvrent**	j'**ai ouvert**	j'ouvrir**ai**	j'ouvr**ais**
partir to leave	je **pars** tu **pars** il/elle/on **part**	nous **partons** vous **partez** ils/elles **partent**	je **suis parti(e)**	je partir**ai**	je part**ais**
préférer to prefer	je **préfère** tu **préfères** il/elle/on **préfère**	nous **préférons** vous **préférez** ils/elles **préfèrent**	j'**ai préféré**	je préférer**ai**	je préfér**ais**

Verb tables

More irregular verbs (continued)

prendre to take	je **prends** tu **prends** il/elle/on **prend**	nous **prenons** vous **prenez** ils/elles **prennent**	j'**ai pris**	je prend**rai**	je pren**ais**
savoir to know	je **sais** tu **sais** il/elle/on **sait**	nous **savons** vous **savez** ils/elles **savent**	j'**ai su**	je sau**rai**	je sav**ais**
sortir to go out	je **sors** tu **sors** il/elle/on **sort**	nous **sortons** vous **sortez** ils/elles **sortent**	je **suis sorti(e)**	je sorti**rai**	je sort**ais**
venir to come	je **viens** tu **viens** il/elle/on **vient**	nous **venons** vous **venez** ils/elles **viennent**	je **suis venu(e)**	je viend**rai**	je ven**ais**
voir to see	je **vois** tu **vois** il/elle/on **voit**	nous **voyons** vous **voyez** ils/elles **voient**	j'**ai vu**	je ver**rai**	je voy**ais**

Modal verbs

Modal verbs are irregular, so you will need to learn them.

infinitive	present tense		perfect tense	future tense	imperfect tense
devoir to have to/ 'must'	je **dois** tu **dois** il/elle/on **doit**	nous **devons** vous **devez** ils/elles **doivent**	j'**ai dû**	je dev**rai**	je dev**ais**
pouvoir to be able to/'can'	je **peux** tu **peux** il/elle/on **peut**	nous **pouvons** vous **pouvez** ils/elles **peuvent**	j'**ai pu**	je pour**rai**	je pouv**ais**
vouloir to want to	je **veux** tu **veux** il/elle/on **veut**	nous **voulons** vous **voulez** ils/elles **veulent**	j'**ai voulu**	je voud**rai**	je voul**ais**

The perfect tense with *être*

These 14 verbs – mainly verbs of movement – form their perfect tense with *être*, not *avoir*:

aller (to go)

arriver (to arrive)

entrer (to enter)

monter (to go up)

naître (to be born)

rester (to stay)

retourner (to return)

venir (to come)

partir (to leave)

sortir (to go out)

descendre (to come down)

mourir (to die)

tomber (to fall)

rentrer (to go home/come home)

Speaking top tips

The golden rule

To learn to speak a foreign language, you have to practise *speaking* it.

If you want to be good at a musical instrument, you have to practise playing it. The sound might not be great at first, but it will get better. It's the same with speaking a foreign language. The only way you can get better is by speaking it. Not by reading it or even listening to it. You have to speak it. You might not sound brilliant at first, but that doesn't matter. You'll get better if you practise.

At first, most people feel a bit embarrassed or silly when speaking a foreign language. That's quite natural. Along the way, you'll make daft mistakes. But if you can deal with that, the rewards are great. You'll really impress people if you can speak a foreign language well. So persevere!

How to practise a presentation

- Plan what you have to say (use POSM – see Writing top tips).
- Memorise what you have to say.
- Time yourself.
- Be calm – don't rush.
- Use notes.

How to memorise

- Copy ten key words onto cards.
- Learn the first line and say it from memory.
- Learn the second line and say the first <u>two</u> lines from memory.
- Carry on adding one line at a time.
- Use your cards as a reminder. Only refer back to the full version if you get stuck.
- Practise – say it out loud, not in your head. It sounds different when you say it! You really, really, have to practise it *exactly as you will do it on the day*, except not in front of 100 people. Even if you feel silly, it's worth it.

The more you practise, the easier it will be and the more confident you will become. When you're confident with the content, you can work on your pronunciation.

Learning what to say will give you confidence, but you don't want to sound like a robot. You will get higher marks for **spontaneity**. As you gain in confidence, you can 'let go' of big chunks of language, and use and combine in new ways words and phrases you've practised.

Writing top tips

Step 1

Decide how many words you're going to write. (You might not have a choice if the number of words is specified in the task.)

Step 2

Break it down into sections or paragraphs. Breaking it down helps you and the reader.

- It helps you because the task doesn't seem so daunting.
- It helps the reader because it looks more organised and logical (use headers if you like).
- Don't just start with a sentence and hope something will occur to you.

Writing 150 words might sound like a lot, but if you divide it into four paragraphs that's only 35 words per paragraph. That's not many sentences really.

Step 3

Decide what to put in each paragraph. Try to fit one idea or aspect of your story or report into each paragraph.

Step 4

Use POSM to achieve great results in writing!

Plan: Get your ideas down on paper.

Organise your ideas: What will you start with? What will come next? How will you finish?

Select: Choose the words and phrases you will need. Include some more complex language so your writing has the 'wow factor'.

Make sure: Check that what you have written is accurate. Look at the checklist at the bottom of page 25 for tips on checking accuracy.

Step 5

Be careful! Do not copy or memorise word for word. It has to be *your* work. Follow these rules:

- Change and adapt.
- Personalise.
- Reuse for *you*.

Mini-dictionnaire

Using your Mini-dictionnaire

The French-English word lists on the following pages appear in three columns:

- The first column lists the French words in alphabetical order.
- The second column tells you what part of speech the word is (e.g. verb, noun, etc.) in abbreviated form.
- The third column gives the English translation of the word in the first column.

Here is a key to the abbreviations in the second column:

adj	adjective
adv	adverb
conj	conjunction

exclam	exclamation
(pl)	plural noun
nf	feminine noun
nm	masculine noun
prep	preposition
v	verb

The names for the parts of speech given here are those you are most likely to find in a normal dictionary. In *Studio*, we use different terms for two of these parts of speech. These are:

conjunction = connective

adverb = intensifier

A

abandonner	v	to give up
d'abord	adv	first (of all)
absolument	adv	absolutely
abuser	v	to abuse
accent	nm	accent
accepter	v	to accept
accompagner	v	to accompany, go with
d'accord	adv	OK, agreed
accro	adj	addicted, hooked
accueillir	v	to welcome
achats	nm (pl)	shopping
acheter	v	to buy
acheteur(-euse)	nm/nf	buyer
acrobatie	nf	acrobatics
actif(-ve)	adj	active
actuellement	adv	currently
adaptateur	nm	adaptor
adjectif	nm	adjective
ado(lescent)	nm	teenager
adopter	v	to adopt
adorable	adj	adorable
adresse	nf	address
aérien(ne)	adj	aerial

affreux(-euse)	adj	awful
âge	nm	age
agir	v	to act
aide	nf	help
aider	v	to help
ailleurs	adv	elsewhere, somewhere else
aimer	v	to like, love
aîné(e)	adj	older
album	nm	album
alerte	nf	alert
Allemagne	nf	Germany
aller	v	to go
allergique	adj	allergic
alors	adv	so, therefore
alpinisme	nm	mountaineering
amande	nf	almond
ambassadeur	nm	ambassador
ambiance	nf	atmosphere
ambition	nf	ambition
amitié	nf	friendship
s'amuser	v	to have fun
an	nm	year
ange	nm	angel
anglais(e)	adj	English
Angleterre	nf	England

animal	nm	animal
animateur	nm	entertainer
année	nf	year
anniversaire	nm	birthday
annonce	nf	advert
Antilles	nf (pl)	West Indies
appart(ement)	nm	flat, apartment
applaudir	v	to applaud
apprécier	v	to enjoy, appreciate
apprendre	v	to learn
apprentissage	nm	apprenticeship
après	adv	after
après-midi	nm	afternoon
aquatique	adj	water
arabe	adj	Arabic
araignée	nf	spider
arbre	nm	tree
archéologie	nf	archeology
archéologue	nm/nf	archeologist
argent	nm	money
arrêter	v	to stop
s'arrêter	v	to stop
arriver	v	to arrive
arrogant(e)	adj	arrogant
artiste	nm/nf	artist

Mini-dictionnaire

arts martiaux	nm (pl)	martial arts
ascenseur	nm	lift
Asie	nf	Asia
assassiner	v	to assassinate
assez	adv	quite, enough
assis(e)	adj	sitting, seated
association	nf	association
attacher	v	to attach
attendre	v	to wait
attentif(-ve)	adj	attentive
attention	nf	care
attraper	v	to catch
aujourd'hui	adv	today
autonomiser	v	to empower
autre	adj	other
avancer	v	to move forward
avant	adv	before
avantage	nm	advantage
avec	prep	with
avenir	nm	future
avion	nm	plane
avis	nm	opinion
avocat(e)	nm / nf	lawyer
avoir	v	to have

B

bac(calauréat)	nm	Baccalaureate (A-level equivalent)
baie	nf	bay
baignade	nf	swimming
se baigner	v	to swim
balade	nf	trip, walk
balle	nf	bullet
ballon de foot	nm	football
banane	nf	banana
banque	nf	bank
barbecue	nm	barbecue
barque	nf	boat

baskets	nf (pl)	trainers
bateau	nm	boat
bavarder	v	to chat
beau / belle	adj	good-looking, beautiful; fine
beaucoup (de)	adv	a lot (of)
bénévole	nm / nf	volunteer
beurk!	exclam	yuck!
bicyclette	nf	bicycle
bien	adv	good; well
bien-être	nm	well-being
bien sûr	adv	of course
bille	nf	paintball
billet	nm	ticket
bizarre	adj	weird
blessé(e)	adj	injured
blessure	nf	injury
blocage	nm	block
boire	v	to drink
boisson	nf	drink
boîte	nf	nightclub
bombe	nf	spray can
bon marché	adj	cheap
bonheur	nm	happiness
bonnet	nm	hat
bord de la mer	nm	seaside
botaniste	nm / nf	botanist
bouche	nf	mouth
bouger	v	to move
boules	nf (pl)	French bowls (boules)
bouleverser	v	to turn upside down; to disrupt
boulot	nm	job, work (informal)
bouquin	nm	book
bouquiner	v	to read
boutique	nf	shop
bowling	nm	bowling
bras	nm	arm

Bretagne	nf	Brittany
brûler	v	to burn
bulletin scolaire	nm	school report

C

cabinet	nm	surgery
cahier	nm	exercise book
calme	adj	quiet
camarade	nm / nf	school friend
caméscope	nm	video camera
camion	nm	lorry
campagne	nf	country(side)
camping	nm	camping; campsite
candidat(e)	nm / nf	contestant; candidate
candidature	nf	application
canoë-kayak	nm	canoeing
cantine	nf	canteen
capitale	nf	capital
car	conj	because
car	nm	coach
caractère	nm	character
caribéen(ne)	adj	Caribbean
carnaval	nm	carnival
carotte	nf	carrot
carrément	adv	completely
cascadeur(-euse)	nm / nf	stuntman / stuntwoman
case	nf	hut; box
casque	nm	headphones; helmet
casquette	nf	cap
casser	v	to break
catastrophe	nf	catastrophe
cathédrale	nf	cathedral
causer	v	to cause
ce (cette)	adj	this
célèbre	adj	famous
centre commercial	nm	shopping centre

Mini-dictionnaire

céréales	nf (pl)	cereal
cerveau	nm	brain
chaîne	nf	chain
chambre	nf	bedroom
chameau	nm	camel
championnat	nm	championship
chance	nf	luck
changer	v	to change
chanson	nf	song
chanter	v	to sing
chanteur (-euse)	nm/nf	singer
chapeau	nm	hat
chaque	adj	each, every
chargeur	nm	charger
charmant(e)	adj	charming
charrette	nf	cart
charrue	nf	plough
chasseur	nm	hunter
château	nm	castle; country house
chaud(e)	adj	hot
chauffé(e)	adj	heated
chauffeur	nm	driver
chef	nm	chief; boss
chef cuisinier	nm	chef
cher(-ère)	adj	expensive
chercher	v	to look for, seek
cheval	nm	horse
cheveux	nm (pl)	hair
cheville	nf	ankle
chez (moi / toi)	prep	at (my / your) place
chiffre	nm	figure
chimique	adj	chemical
Chine	nf	China
chips	nf (pl)	crisps
chirurgien(ne)	nm/nf	surgeon
chocolat	nm	chocolate
choisir	v	to choose

choix	nm	choice
choqué(e)	nm	shocked
chose	nf	thing
chute	nf	fall
chute libre	nf	sky diving
ciel	nm	sky
ci-joint	adv	attached, enclosed
cinéma	nm	cinema
cinquième	nf	Year 8 / S1
circulation	nf	traffic
cirque	nm	circus
citoyen(ne)	nm/nf	citizen
clair(e)	adj	clear; light
classer	v	to classify
classique	adj	classical
client	nm	customer
cœur	nm	heart
se coiffer	v	to do your hair
colère	nf	anger
collecter	v	to collect
collège	nm	secondary school
colo(nie de vacances)	nf	holiday camp
combien	adv	how much, how many
comédie	nf	comedy
comme	prep	as, like
commencer	v	to start
comment	adv	how
commenter	v	to comment
commerce	nm	trade, business
communiquer	v	to communicate
complet(-ète)	adj	full
comprendre	v	to understand
comptable	nm	accountant
compter	v	to count
concours	nm	competition
conduire	v	to drive

confiance	nf	confidence, trust
connaître	v	to know
consommateur	nm	consumer
consommer	v	to consume
content(e)	adj	happy
continuer	v	to continue
contrat	nm	contract
contre	prep	against
conviction	nf	conviction, belief
coordonnées	nf (pl)	contact details
coordonner	v	to coordinate
copain	nm	friend (boy), boyfriend
copier	v	to copy
copine	nf	friend (girl), girlfriend
corail	nm	coral
corps	nm	body
côte	nf	coast
coucher du soleil	nm	sunset
se coucher	v	to go to bed
couleur	nf	colour
coup de soleil	nm	sunburn
courage	nm	courage
courageux(-euse)	adj	brave
courrier	nm	mail
courir	v	to run
cours	nm	lesson
course	nf	racing; running; race
court(e)	adj	short
couverture	nf	cover
créatif(-ve)	adj	creative
créer	v	to create
crème solaire	nf	sun cream
crête	nf	spiky hair style
croire	v	to believe
cruauté	nf	cruelty

Mini-dictionnaire

crudités	nf (pl)	chopped, raw vegetables
cruel(le)	adj	cruel
cuisine	nf	kitchen; cooking
cuit(e)	adj	cooked
cultiver	v	to grow, cultivate
culture	nf	culture
culturel(le)	adj	cultural
curieux(-euse)	adj	curious

D

dangereux(-euse)	adj	dangerous
danser	v	to dance
dé	nm	die
débrouillard(e)	adj	resourceful
début	nm	start, beginning
décédé(e)	adj	deceased
décision	nf	decision
découverte	nf	discovery
découvrir	v	to discover
défi	nm	challenge
dégoûtant(e)	adj	disgusting
dehors	adv	outside
déjà	adv	already
délicieux(-euse)	adj	delicious
demain	adv	tomorrow
demander	v	to demand, ask for
demi	adj	half
dénoncer	v	to denounce, speak out against
se déplacer	v	to get about
déprimé(e)	adj	depressed
depuis	prep	since; for
dernier(-ère)	adj	last; latest
derrière	prep	behind
désastre	nm	disaster
descendre	v	go down; get out; get off

désert	nm	desert
désert(e)	adj	deserted
dessin animé	nm	cartoon
dessinateur(-trice)	nm / nf	designer
dessiner	v	to draw; design
détail	nm	detail
détester	v	to hate
devant	prep	in front of
développement	nm	development
devenir	v	to become
dévoiler	v	to unveil
devoir	v	to have to; owe
devoirs	nm (pl)	homework
diabète	nm	diabetes
diable	nm	devil
différent(e)	adj	different
difficile	adj	difficult
diminuer	v	to reduce
diplomate	nm / nf	diplomat
dire	v	to say, tell
se dire	v	to tell yourself
directeur(-trice)	nm / nf	manager; headteacher
discipliné(e)	adj	disciplined
discuter	v	to discuss
dispute	nf	argument
diviser	v	to divide
dodo	nm	sleep
doigt	nm	finger
domicile	nm	home
dommage	nm	shame
donc	conj	so, therefore
dont	pron	whose, of which
dormir	v	to sleep
dos	nm	back
se doucher	v	to have a shower
droit	nm	law; right

drôle	adj	funny
durer	v	to last
dynamique	adj	dynamic, lively

E

eau	nf	water
échange	nm	exchange
échec	nm	failure
école	nf	school
écolo(gique)	adj	green, ecological
économies	nf (pl)	economies, savings
Écosse	nf	Scotland
écouter	v	to listen
écran	nm	screen
écrire	v	to write
effort	nm	effort
égoïste	adj	selfish
élève	nm/nf	pupil
s'élever contre	v	to stand up against
éliminer	v	to eliminate
embrasser	v	to kiss
émission	nf	programme, show
empêcher	v	to prevent
emploi	nm	job
employeur	nm	employer
enchaîné(e)	adj	chained
s'endormir	v	to fall asleep
endroit	nm	place
énerver	v	to get on someone's nerves
enfance	nf	childhood
enfant	nm/nf	child
s'ennuyer	v	to get bored
ennuyeux(-euse)	adj	boring
énorme	adj	enormous, huge
enregistrement	nm	recording

Mini-dictionnaire

enseigner	v	to teach
ensemble	adv	together
ensuite	adv	then, next
entièrement	adv	entirely
entraînement	nm	training
s'entraîner	v	to train
entre	prep	between
entrée	nf	entrance, admission; starter
entrer	v	to enter
envers	prep	towards
avoir envie de	v	to want to
environ	adv	about
environnement	nm	environment
envoyer	v	to send
s'envoyer	v	to send (to) each other
épaule	nf	shoulder
équestre	adj	equestrian
équilibre	nm	balance
équilibré(e)	adj	balanced
équipe	nf	team
équitable	adj	fair
équitation	nf	horse-riding
escalade	nf	climbing
escaliers	nm (pl)	stairs
esclave	nm / nf	slave
escrime	nf	fencing
Espagne	nf	Spain
espérer	v	to hope
esprit	nm	spirit
essayer	v	to try
essentiel(le)	adj	essential
étage	nm	level, floor
état	nm	state
États-Unis	nm (pl)	United States
été	nm	summer
éteindre	v	to switch off, put out

étiquette	nf	label
étranger	nm	abroad
étranger(-ère)	adj	foreign
être	v	to be
étude	nf	study, survey
étudier	v	to study
s'évader	v	to escape
évasion	nf	escape
exagérer	v	to exaggerate
examen	nm	exam
exemple	nm	example
exercice	nm	exercise
expérience	nf	experience
expliquer	v	to explain
exploiter	v	to exploit
exposé	nm	talk, presentation
extrême	adj	extreme

F

fabricant	nm	producer, maker
fabriquer	v	to make, build
fabuleux(-euse)	adj	wonderful, fantastic
facile	adj	easy
facilement	adv	easily
facteur	nm	factor; postman
fac(ulté)	nf	uni(versity)
faim	nf	hunger
faire	v	to do; make
se faire bronzer	v	to sunbathe
se faire piquer	v	to get stung
famille	nf	family
fasciner	v	to fascinate
fastfood	nm	fast-food restaurant
fatigué(e)	adj	tired
faux(-sse)	adj	false; fake; off-key
femme	nf	woman, lady; wife

fermement	adv	firmly
fesse	nf	buttock
fête	nf	festival, fair; party
feuilleter	v	to flick through
fidèle	adj	faithful, loyal
fier(-ère)	adj	proud
fil	nm	thread; wire; cable
fille	nf	girl
filmer	v	to film
fils	nm	son
fin	nf	end
finalement	adv	finally
finir	v	to finish
fleur	nf	flower
fois	nf	time
fonctionner	v	to work, function
fonder	v	to found
fonds	nm (pl)	funds
footing	nm	jogging
force	nf	strength
forcément	adv	necessarily
forêt	nf	forest
formation	nf	course, training
forme	nf	fitness
fort(e)	adj	loud; strong; very good
forum	nm	forum
fou / folle	adj	mad, crazy
fouille	nf	archaeological dig
frais / fraîche	adj	fresh
fraise	nf	strawberry
français(e)	adj	French
franchement	adv	frankly
francophone	adj	French-speaking
frein	nm	brake
fréquence	nf	frequency

Mini-dictionnaire

frites	nf (pl)	chips
froid(e)	adj	cold
fromage	nm	cheese
front	nm	forehead
fruit	nm	fruit
fruits de mer	nm (pl)	seafood
frustrant(e)	adj	frustrating
furieux(-euse)	adj	furious
futur	nm	future

G

gagner	v	to win; earn
garçon	nm	boy
gâteau	nm	cake
gazeux(-euse)	adj	fizzy
gel coiffant	nm	hair gel
en général	adv	in general
généreux(-euse)	adj	generous
générosité	nf	generosity
génial(e)	adj	great
génie	nm	genius
genou	nm	knee
genre	nm	type, kind
gens	n (pl)	people
gentil(le)	adj	kind
girafe	nf	giraffe
glace	nf	ice; ice cream
glisse	nf	slide
glisser	v	to slide
gonflable	adj	inflatable
gorille	nm	gorilla
goût	nm	taste
goûter	v	to taste
gouvernement	nm	government
grand(e)	adj	big; tall
grandir	v	to grow up
grand-mère	nf	grandmother
grands-parents	nm (pl)	grandparents
grand-père	nm	grandfather

gratuit(e)	adj	free
Grèce	nf	Greece
gros(se)	adj	fat, big
groupe	nm	group
guerre	nf	war
gymnastique	nf	gymnastics

H

s'habiller	v	to get dressed
habiter	v	to live
habitude	nf	habit
d'habitude	adv	usually
hanche	nf	hip
hanté(e)	adj	haunted
haricot	nm	bean
haut(e)	adj	high
herbe	nf	grass
hésiter	v	to hesitate
heure	nf	hour; o'clock; time
heureux(-euse)	adj	happy
hier	adv	yesterday
histoire	nf	history; story
historique	adj	historical
hiver	nm	winter
homme	nm	man
honnête	adj	honest
honnêteté	nf	honesty
hôpital	nm	hospital
horizon	nm	horizon
horreur	nf	horror
horrible	adj	horrible
hôtel	nm	hotel

I

ici	adv	here
idéal(e)	adj	ideal
idée	nf	idea
idiot(e)	adj	stupid
idole	nf	idol

île	nf	island
image	nf	picture; image
impatient(e)	adj	impatient
impliqué(e)	adj	involved
s'impliquer dans	v	to become involved in
important(e)	adj	important
impressionnant(e)	adj	impressive
impuissant(e)	adj	powerless
incroyable	adj	unbelievable
Inde	nf	India
indépendant(e)	adj	independent
indispensable	adj	essential
infirmier(-ère)	nm / nf	nurse
ingénieur(e)	nm / nf	engineer
inhumain(e)	adj	inhumane
injustice	nf	injustice, unfairness
inoubliable	adj	unforgettable
insecte	nm	insect
instrument	nm	instrument
intelligent(e)	adj	intelligent
interactif(-ve)	adj	interactive
intéressant(e)	adj	interesting
intéressé(e) (par)	adj	interested (in)
intérêt	nm	interest
interprète	nm / nf	interpreter
interview	nf	interview
inventer	v	to invent
inviter	v	to invite
irresponsable	adj	irresponsible

J

jaloux(-ouse)	adj	jealous
jamais	adv	never
jambe	nf	leg
jardin	nm	garden
jeu	nm	game
jeune	adj	young
Jeux olympiques	nm (pl)	Olympic Games

Mini-dictionnaire

joli(e)	adj	pretty
jongleur	nm	juggler
jouer	v	to play
jouet	nm	toy
jour	nm	day
journaliste	nm / nf	journalist
journée	nf	day
juge	nm	judge
jungle	nf	jungle
jusqu'à	prep	up to, until
juste	adj	fair; in tune
justice	nf	justice

L

là-bas	adv	over there
lac	nm	lake
laisser	v	lo let; leave
laisser tomber	v	to drop
laitier(-ère)	adj	dairy
lampe de poche	nf	torch
lancer	v	to throw
langue	nf	language; tongue
laver	v	to wash
se laver	v	to wash oneself
lecture	nf	reading
légende	nf	legend
légumes	nm (pl)	vegetables
légumes secs	nm (pl)	pulses
lendemain	nm	next day
lever	v	to raise
se lever	v	to get up
libérer	v	to free
liberté	nf	freedom
libre	adj	free
lien	nm	link
lieu	nm	place
au lieu de	prep	instead of
ligne	nf	figure

limite	nf	limit
limiter	v	to limit
lion	nm	lion
lire	v	to read
lit	nm	bed
livre	nm	book
loger	v	to stay
loin	adv	far
loisir	nm	leisure
long(ue)	adj	long
longueur	nf	length
lorsque	conj	when
louer	v	to hire
lourd(e)	adj	heavy
lumière	nf	light
lunatique	adj	moody
lune	nf	moon
lunettes de plongée	nf (pl)	(swimming) goggles
lutte	nf	struggle
lutter	v	to fight
luxe	nm	luxury
lycée	nm	college, sixth form

M

magasin	nm	shop
magazine	nm	magazine
magnifique	adj	magnificent
maigre	adj	thin
maillot de bain	nm	swimsuit
main	nf	hand
maintenant	adv	now
maison	nf	house
mal	adv	bad
malade	adj	ill
maladie	nf	illness
malgré	prep	in spite of
malheureusement	adv	unfortunately
malheureux(-euse)	adj	unhappy

maltraiter	v	to mistreat
manger	v	to eat
manque	nm	lack
manquer	v	to be lacking
marathon	nm	marathon
marche	nf	walking
marché	nm	market
marcher	v	to walk
marque	nf	brand
marrant(e)	adj	funny, a laugh
en avoir marre	v	to be fed up
matériel	nm	material
maternel(le)	adj	maternal
matière	nf	subject
matin	nm	morning
mauvais(e)	adj	bad
mec	nm	guy
mécanicien(ne)	nm / nf	mechanic
méconnaissable	adj	unrecognisable
médecin	nm / nf	doctor
médecin généraliste	nm	doctor (GP)
médecine	nf	medicine
meilleur(e)	adj	better; best
mélodie	nf	tune
membre	nm / nf	member
même	adj	same; even
ménage	nm	housework; household
mer	nf	sea
merci	exclam	thank you
mère	nf	mother
message	nm	message
métier	nm	profession
mettre	v	to put (on)
micro	nm	microphone
mieux	adj, adv	better; best
mince	adj	slim
minuit	nm	midnight

Mini-dictionnaire

mode	nf	fashion
mode de vie	nm	lifestyle
modeste	adj	modest
modifier	v	to update
moi	pron	myself / me
au moins	adv	at least
mois	nm	month
monde	nm	world
moniteur de ski	nm	ski instructor
montagne	nf	mountain
montagne russe	nf	rollercoaster
monter	v	to go up, climb
montgolfière	nf	hot-air balloon
moral	nm	morale
mort(e)	adj	dead
moteur	nm	engine
motivant(e)	adj	motivating
motivé(e)	adj	motivated
moucheron	nm	midge
mouillé(e)	adj	wet
moule	nf	mussel
moulin à vent	nm	windmill
mourir	v	to die
moustique	nm	mosquito
moyen	nm	means, way
mur	nm	wall
muscle	nm	muscle
musée	nm	museum
musical(e)	adj	musical
musicien(ne)	nm / nf	musician
mystérieux(-euse)	adj	mysterious
mythe	nm	myth

N

naissance	nf	birth
naître	v	to be born
natation	nf	swimming
nature	nf	nature
nautique	adj	water

né(e)	adj	born
nécessaire	adj	necessary
neige	nf	snow
nez	nm	nose
normalement	adv	normally, generally
normand(e)	adj	Norman
note	nf	mark
nourrir	v	to feed
nourriture	nf	food
nouveau(-elle)	adj	new
nouveautés	nf (pl)	new / latest things
nuit	nf	night
nul(le)	adj	rubbish
numéro	nm	number

O

obèse	adj	obese
observer	v	to observe
œil	nm	eye
œuf	nm	egg
officiel(le)	adj	official
oiseau	nm	bird
opinion	nf	opinion
optimiste	adj	optimistic
option	nf	option
orchestre	nm	orchestra
ordi(nateur)	nm	computer
oreille	nf	ear
organiser	v	to organise
origine	nf	origin
oser	v	to dare
où	adv	where
oublier	v	to forget
ours	nm	bear
outil	nm	tool
ouvert(e)	adj	open
ouvrier(-ère)	nm / nf	worker

P

page perso	nf	home page
paille	nf	straw
pain	nm	bread
paix	nf	peace
palmes	nf (pl)	flippers
paquet	nm	packet, parcel
par	prep	per; by
parapente	nm	paragliding
parc	nm	park
parc d'attractions	nm	theme park
parcourir	v	to travel across; to cover (distance)
parcours	nm	course
parfait(e)	adj	perfect
parfaitement	adv	perfectly
parfois	adv	sometimes
parfum	nm	perfume; flavour
parler	v	to talk, speak
parmi	prep	amongst
paroles	nf (pl)	words, lyrics
partager	v	to share
partenaire	nm / nf	partner
participer (à)	v	to take part (in)
partie	nf	part
partir	v	to leave
partout	adv	everywhere
passé	nm	past
passer	v	to spend
se passer	v	to take place, happen
passetemps	nm	pastime
passion	nf	passion, hobby
passionnant(e)	adj	exciting
pâte	nf	paste
patience	nf	patience
patient(e)	adj	patient

Mini-dictionnaire

patinoire	nf	skating rink
pâtisserie	nf	cake shop
pâtissier(-ère)	nm/nf	cake maker
pause	nf	break
pauvreté	nf	poverty
payé(e)	adj	paid
pays	nm	country
pays de Galles	nm	Wales
pêche	nf	fishing
pendant	prep	during, for
pénible	adj	tiresome, annoying, a pain
penser	v	to think
perdre	v	to lose
se perdre	v	to lose oneself
personnage	nm	character
personne	nf	person
pessimiste	adj	pessimistic
pétanque	nf	French bowls
petit(e)	adj	small
petit déj(euner)	nm	breakfast
peu (un peu de ...)	nm	(a little) bit (of)
peur	nf	fear
peureux(-euse)	adj	scared
peut-être	adv	perhaps, maybe
photo	nf	photo
phrase	nf	sentence
pied	nm	foot
pilote	nm/nf	pilot
piquenique	nm	picnic
pire	adj	worse
piscine	nf	swimming pool
piste	nf	slope
plage	nf	beach
plaire	v	to please
planche à voile	nf	wind-surfing
planète	nf	planet
plein(e)	adj	full
plein air	nm	outdoors

plein de	adv	loads of
pleuvoir	v	to rain
plongée	nf	diving
plongée sous-marine	nf	scuba diving
plus	adv	more
À plus!	exclam	See you later!
en plus	adv	in addition
poche	nf	pocket
poème	nm	poem
poils	nm (pl)	animal hair
poisson	nm	fish
polaire	adj	polar
pôle (Nord)	nm	(North) Pole
poli(e)	adj	polite
pomme de terre	nf	potato
pompier	nm	firefighter
populaire	adj	popular
portable	nm	mobile phone
porte	nf	door
porter	v	to wear, carry
portrait	nm	portrait
Portugal	nm	Portugal
possible	adj	possible
poste	nm	post, job
poster	v	to post
poulet	nm	chicken
pour	prep	for; in order to
pourquoi	adv	why
pourtant	adv	yet, however
pouvoir	v	to be able to
pratique	adj	practical
pratiquer	v	to play, do sport; practise
prédominance	nf	predominance
préféré(e)	adj	favourite
préférence	nf	preference
premier(-ère)	adj	first

première	nf	Year 12/S5
prendre	v	to take
prénom	nm	first name
préoccuper	v	to preoccupy, worry
préparer	v	to prepare
près (de)	adv	near (to)
présent	nm	present (tense)
pression	nf	pressure
priorité	nf	priority
prise de courant	nf	power point
privé(e)	adj	private
prix	nm	price; prize
problème	nm	problem
prochain(e)	adj	next
proche	adj	close
produit	nm	product
professeur	nm/nf	teacher
profession	nf	profession
professionnel(le)	adj	professional
programme	nm	schedule
progrès	nm (pl)	progress
projets	nm (pl)	plans
promenade	nf	walk
prononciation	nf	pronunciation
proposer	v	to propose
propre	adj	own; clean
protecteur(-trice)	adj	protective
protéger	v	to protect
puis	adv	then, next
puisque	conj	since, as
pyjama	nm	pyjamas
pyramide	nf	pyramid

Q

qualité	nf	quality
quand	adv	when
quant à	prep	as for
quart	nm	quarter

Mini-dictionnaire

quartier	nm	district, area
quatrième	nf	Year 9/S2
quel(le)	adj	what, which
quelquefois	adv	sometimes
quelqu'un	pron	someone
question	nf	question
quitter	v	to leave
quoi	pron	what

R

raccompagner	v	to go back with
racisme	nm	racism
raison	nf	reason; right
rajouter	v	to add
rando(nnée)	nf	hike, long walk
rapé(e)	adj	grated
rapide	adj	fast, quick
rarement	adv	rarely
rassurer	v	to reassure
réaction	nf	reaction
réagir	v	to react
réalité	nf	reality
recevoir	v	to receive
recommander	v	to recommend
recruter	v	to recruit
reculer	v	to move backwards
rédacteur	nm	editor
réduction	nf	reduction
réduit(e)	adj	reduced
refuser	v	to refuse
regard	nm	look
regarder	v	to look at, watch
règle	nf	rule; ruler
régulier(-ère)	adj	regular
rejoindre	v	to join
remarquable	adj	remarkable
remplacer	v	to replace
rencontrer	v	to meet

rendez-vous	nm	meeting; appointment
rendre	v	to give back; make
renseignements	nm (pl)	details, information
rentrée	nf	return (to school after holidays)
rentrer	v	to go home; go back
réparer	v	to repair
repas	nm	meal
répéter	v	to rehearse; repeat
réponse	nf	answer, reply
reportage	nm	report
se reposer	v	to rest
requin	nm	shark
requis(e)	adj	required
résolution	nf	resolution
respect	nm	respect
respecter	v	to respect
responsabilité	nf	responsibility
responsable	adj	responsible
ressentir	v	to feel
rester	v	to stay
résultat	nm	result
retenir	v	to retain; learn
retourner	v	to return
se retrouver	v	to meet up
réunion	nf	meeting
réussi(e)	adj	successful
réussir	v	to succeed
réutiliser	v	to reuse
rêve	nm	dream
révisions	nf (pl)	revision
se révolter	v	to rebel
riche	adj	rich
ridicule	adj	ridiculous
rien	pron	nothing

rigoler	v	to have a laugh
rigolo(te)	adj	funny
rime	nf	rhyme
rire	v	to laugh
risque	nm	risk
rivière	nf	river
roi	nm	king
rôle	nm	role
romantique	adj	romantic
ronfler	v	to snore
rôti(e)	adj	roast
routine	nf	routine
rue	nf	street, road
Russie	nf	Russia
rythme	nm	rhythm
rythmique	nf	rhythm
rythmique	adj	rhythmic

S

sable	nm	sand
sac	nm	bag
sage	adj	good, well-behaved
sain(e)	adj	healthy
saisir	v	to seize, grab
saison	nf	season
saisonnier(-ère)	adj	seasonal
salade	nf	salad
salé(e)	adj	salty
salle	nf	room
salopette	nf	dungarees
salut!	exclam	hi!
sandale	nf	sandal
sans	prep	without
santé	nf	health
saucisse	nf	sausage
sauf	prep	except
sauvage	adj	wild
sauver	v	to save

Mini-dictionnaire

savoir	v	to know (how to)
scène	nf	stage
séance	nf	showing
sec / sèche	adj	dry
sèche-cheveux	nm	hairdryer
seconde	nf	Year 11 / S4
secouer	v	to shake
sécurité	nf	safety
sel	nm	salt
selon	prep	according to
semaine	nf	week
sensation	nf	sensation
se sentir	v	to feel
série	nf	series
sérieusement	adv	seriously
sérieux(-euse)	adj	serious
serpent	nm	snake
serviette	nf	towel
seul(e)	adj	only, alone
seulement	adv	only
si	conj	if
simple	adj	simple
singe	nm	monkey
sixième	nf	Year 7/P7
ski nautique	nm	water skiing
social(e)	adj	social
sociologue	nm / nf	sociologist
soi	pron	oneself
soif	nf	thirst
soin	nm	care
soir	nm	evening
soirée	nf	evening; party
soit ... soit ...	conj	either ... or ...
soleil	nm	sun
solide	adj	solid
solution	nf	solution
sortie	nf	excursion, trip out; exit

sortir	v	to go out; get out
souple	adj	supple, flexible
sous-marin(e)	adj	underwater
souvent	adv	often
sponsoriser	v	to sponsor
stade	nm	stadium
stage	nm	training course; work placement
stimulant(e)	adj	stimulating
style	nm	style, look
stylo	nm	pen
succès	nm	success
sucré(e)	adj	sweet, sugary
sucreries	nf (pl)	sweets, confectionery
suivant(e)	adj	following
suivre	v	to follow
sujet	nm	subject
supporter	v	to put up with
surfer	v	to surf
surmonter	v	to overcome
surtout	adv	especially
survie	nf	survival
sympa(thique)	adj	nice

T

tableau	nm	painting, picture; table, grid
tablette (de chocolat)	nf	bar (of chocolate)
talent	nm	talent
tambour	nm	drum
tapis	nm	carpet, rug
tard	adv	late
télécharger	v	to download
télé-réalité	nf	reality TV
temps	nm	time; weather
de temps en temps	adv	from time to time

tente	nf	tent
tenter sa chance	v	to try your luck
terminale	nf	Year 13
terminer	v	to finish, end
terrain	nm	ground(s)
tête	nf	head
texte	nm	text
timide	adj	shy
tir à l'arc	nm	archery
tisser	v	to weave
tomate	nf	tomato
tomber	v	to fall
tomber amoureux(-euse)	v	to fall in love
tongs	nf (pl)	flip-flops
tort	nm	wrong
tôt	adv	early
toucher	v	to hit; touch
toujours	adv	always; still
tour	nm	tour; turn
tous les jours	adv	every day
tous les soirs	adv	every evening
tous les weekends	adv	every weekend
tout(e)	adj	all, every
tout le monde	adv	everyone
tout le temps	adv	all the time
traditionnel(le)	adj	traditional
tragédie	nf	tragedy
traiter	v	to treat
trampoline	nm	trampoline
tranquille	adj	quiet
tranquillité	nf	peace, quiet
travail	nm	work
travailler	v	to work
traverser	v	to cross
très	adv	very
trésor	nm	treasure
trier	v	to sort
triste	adj	sad

Mini-dictionnaire

troisième	nf	Year 10/S3
trop	adv	too
tropical(e)	adj	tropical
trouver	v	to find
truc	nm	thing
tuba	nm	snorkel
tué(e)	adj	killed
Tunisie	nf	Tunisia
typique	adj	typical

U

univers	nm	universe
usine	nf	factory
utile	adj	useful
utiliser	v	to use

V

vacances	nf (pl)	holidays
vachement	adv	really
valeur	nf	value
varié(e)	adj	varied
veau	nm	veal
veiller	v	to look out for
vélo	nm	bicycle
vendeur(-euse)	nm/nf	salesman/ saleswoman
vendre	v	to sell
venir	v	to come
vent	nm	wind
verre	nm	glass
vers	nm	verse; near
vers	prep	about
vertige	nm	vertigo
vétérinaire	nm/nf	vet
viande	nf	meat
vidéo	nf	video
vie	nf	life
vieux / vieille	adj	old
villa	nf	villa
village	nm	village
ville	nf	town
violence	nf	violence
violon	nm	violin
visage	nm	face
visite	nf	visit
visiteur	nm	visitor
vivre	v	to live
voie	nf	way
voilà	prep	there is
voilà!	exclam	here you are!; there you go!
voile	nf	sailing
voir	v	to see
voiture	nf	car
voix	nf	voice
vol	nm	flight; theft
voler	v	to fly; steal
vomir	v	to be sick
vouloir	v	to want
voyage	nm	journey, trip
voyager	v	to travel
vrai(e)	adj	real; true
vraiment	adv	really
VTT	nm	mountain biking
vue	nf	view

Y

yaourt	nm	yoghurt
yeux	nm (pl)	eyes

À trois/quatre.	In threes/fours.
Adapte (le texte).	Adapt (the text).
Associe (ces mots du texte à leur équivalent en anglais).	Match (these words from the text to their English equivalent).
Attention!	Be careful!
Calcule.	Calculate.
Change (l'activité/ les mots soulignés/un élement).	Change (the activity/the underlined words/one element).
Cherche (dans le dictionnaire).	Find (in the dictionary).
Choisis (la bonne réponse/le bon titre/le bon mot/la bonne phrase).	Choose (the right answer/the right title/the right word/the right sentence).
Comment ...?	How ...?
Compare (tes réponses/tes phrases avec celles de ton/ta camarade).	Compare (your answers/your sentences with your partner's).
Complète (le dialogue/les phrases/le tableau/la traduction).	Complete (the dialogue/the sentences/the table/the translation).
Copie (le tableau/la fiche/le texte).	Copy (the table/the sheet/the text).
Corrige (les erreurs/ton exposé).	Correct (the mistakes/your presentation).
Décris (tes projets d'avenir/ton séjour).	Describe (your future plans/your trip).
Devine!	Guess!
Discute (avec ton/ta camarade).	Discuss (with your partner).
Donne (tes résolutions).	Give (your resolutions).
Écoute (à nouveau/l'interview).	Listen (again/to the interview).
Écris (la bonne lettre/les lettres dans le bon ordre/un court exposé/ un paragraphe/le bon prénom/un résumé).	Write (the right letter/the letters in the right order/a short presentation/ a paragraph/the right name/a summary).
En tandem.	In pairs.
Fais (une liste/des commentaires).	Make (a list/ comments).
Fais (un dialogue/une dispute).	Make up (a dialogue/an argument).
Fais (des recherches/un sondage).	Do (some research/a survey).
Fais correspondre (les photos et les légendes).	Match up (the photos and the captions).
Il s'agit de quoi?	What's it about?
Imagine ...	Imagine ...
Interviewe (ton/ta camarade).	Interview (your partner).
Invente (deux interviews/un portrait/un scénario/les détails).	Invent (two interviews/a portrait/a scenario/the details).
Jette (le dé).	Throw (the die).
Jeu (de mémoire/de conséquences).	(Memory/Consequences) game.
Joue!	Play!
Lis (l'histoire/les résultats/le texte).	Read (the story/the results/the text).
Lis (le dialogue) à voix haute.	Read (the dialogue) out loud.
Mets (les mots dans le bon ordre).	Put (the words in the right order).
Note (les opinions/les raisons/les réponses/vrai ou faux).	Note (the opinions/the reasons/the answers/true or false).
Plie le papier.	Fold the paper.
Pose (la question suivante).	Ask (the following question).
Prends (des notes).	Take (notes).
Prépare (un exposé/une interview/une réponse).	Prepare (a presentation/an interview/a reply).
Qu'est-ce que ...?	What ...?
Quel/Quelle est ...?	What is ...?
Quelle/Quelles sont ...?	What are ...?
Qui ...?	Who ...?
Recopie/Réécris/Refais/Relis.	Copy out/Rewrite/Redo/Re-read.
Regarde (les photos).	Look at (the photos).
Remplis (les blancs/la fiche/le tableau).	Fill in (the gaps/the form/the table).
Réponds (aux questions).	Answer (the questions).
Termine (les phrases).	Finish (the sentences).
Traduis (le texte en anglais).	Translate (the text into English).
Trouve (les bonnes images/le bon texte).	Find (the right pictures /the right text).
Tu es d'accord?	Do you agree?
Utilise (les images/les mots/les phrases/tes propres idées).	Use (the pictures/the words/the sentences/your own ideas).
Vérifie (tes réponses).	Check (your answers).